Adelgaza sin hambre y con humor

CON RECETAS
MIS
PROTEICAS

Adelgaza sin hambre y con humor

# CON MIS RECETAS PROTEICAS

Guisándome la vida. Carmen Albo

Grijalbo

El papel utilizado para la impresión de este libro ha sido fabricado a partir de madera procedente de bosques y plantaciones gestionadas con los más altos estándares ambientales, garantizando una explotación de los recursos sostenible con el medio ambiente y beneficiosa para las personas.
Por este motivo, Greenpeace acredita que este libro cumple los requisitos ambientales y sociales necesarios para ser considerado un libro «amigo de los bosques». El proyecto «Libros amigos de los bosques» promueve la conservación y el uso sostenible de los bosques, en especial de los Bosques Primarios, los últimos bosques vírgenes del planeta.

*Primera edición: enero de 2013*

Diseño: Nicolás Castellanos
Maquetación: Roser Colomer

Fotocomposición: Compaginem

Las imágenes de las páginas 5, 12, 136, 150 y 176 son de Shutterstock; la fotografía de la página 64 fue cedida por Thinkstock.

Printed in Spain – Impreso en España

ISBN: 978-84-253-4988-1

Depósito legal: B-28734-2012

Impreso en Egedsa, Sabadell
Encuadernado en Reinbook, Molins de Rei

GR 49881

# SUMARIO

# Así veo yo a mi amiga Carmen

Si en una gran marmita ponéis una abuela con alma de cocinera, se llame Lucrecia como la mía o Romana como la de Carmen, una pizca de gusto por los fogones y un espíritu lleno de curiosidad por la gastronomía, os aseguro que lo que puede salir es la bomba.

Si, además, te atreves a compartirlo con el mundo a través de un blog, puedes llegar a guisarte la vida como le ocurre a Carmen Albo.

Eso es precisamente su 2.0, una plataforma llena de recetas e historietas curiosas y entretenidas, donde con pasión nos habla de su día a día con simpatía, optimismo y vitalidad. Yo creo que eso fue lo que me enamoró de ella cuando la descubrí en 2009... Siempre con humildad y mucha constancia, ha ido creando uno de los mejores blogs de Galicia.

Cuando me envió aquel primer correo con su receta de «los lacones de Romana», lo que sucedió fue, como diría Humphrey Bogart en *Casablanca*, «... el principio de una gran amistad». Decía de su abuela que era la persona más derrochona, desparramadora, divertida, fiestera y convidadora que conoció en su vida. No sé si se ha dado cuenta de que es ese espíritu de su abuela el que habita en ella misma.

Así veo yo a mi amiga Carmen, como una de esas personas que tienes que tener a tu lado. Y además, después de haberla conocido en persona, añadiría que es cariñosa y muy, muy divertida. ¡Vamos, que es imposible no quererla!

En este su segundo libro, más maduro ya que el primero, *¡Yo sí, conseguí adelgazar! con mis recetas proteicas*, la arropamos algunos compañeros de la blogosfera. Los que aquí estamos con Carmen somos unos cuantos blogueros que podemos enorgullecernos, además, de ser buenos amigos y que, como ella, compartimos con miles de seguidores las recetas ricas y fáciles de nuestro quehacer cotidiano en la cocina.

En este sentido, tanto *Guisándome la vida* como el libro que ahora tienes en tus manos, *Adelgaza sin hambre y con humor con mis recetas protei-cas*, transmiten energía, positividad y humor desde la primera página. Y yo os aseguro que aquí encontraréis todo tipo de ideas de dieta, desde las rápidas para la cocina de cada día hasta las ideales para una ocasión especial.

Yo me apunto a poner en forma mi cuerpo serrano este año con Carmen, con su *Guisándome la vida*, con su buen humor, con su pasión por la gastronomía y con su modo de vida y cocina saludables.

¡Que lo disfrutéis!

Alfonso López Alonso
www.recetasderechupete.com

# ¡OTRA PRESENTACIÓN!

Parece mentira, pero ya ha pasado un año desde que escribí la presentación de aquel primer libro: *¡Yo sí conseguí adelgazar! con mis recetas proteicas*. Ahora, con más experiencia, con más tiempo y con mucha más dedicación y trabajo, tienes en tus manos un segundo libro de la misma saga, *Adelgaza sin hambre y con humor con mis recetas proteicas*.

Puede que ya me conozcas, o puede que no, pero si estás ojeando este nuevo libro tendré que convencerte de nuevo, o quizá por primera vez, de que te compres este recetario proteico.

Al igual que el anterior, el libro de recetas de dieta proteica que ahora ojeas te va a resultar de gran ayuda para adelgazar de forma rápida, fácil y efectiva. Te va a ayudar a adelgazar con humor, sin pasar hambre y, al contrario de lo que suele suceder en otras dietas y con otros recetarios, ¡sin morir de aburrimiento!

Mucho de lo que dije de mi particular forma de enfrentarme a la dieta en aquella primera presentación sigue siendo válido, pero es indudable que la experiencia previa y otros factores favorables (que como los hados han coincidido dondequiera que fuese menester) de una forma mágica han conseguido que entre todos hiciésemos un libro de dieta proteica mejor: este, *Adelgaza sin hambre y con humor con mis recetas proteicas*.

Son 82 nuevas recetas de dieta proteica, esa dieta que a tantas, tantísimas personas nos ha hecho adelgazar con tanto, tantísimo éxito en todo el mundo.

Vuelvo a decirte que todas las recetas que estás viendo aquí, las he cocinado, fotografiado y, lo que es aún más importante, las he testado (y nunca mejor dicho) en mis propias carnes.

Además he procurado que estas nuevas recetas cumplan la que para mí es una máxima vital. He intentado que sean recetas «facilonas y lucidas», que es como me gusta a mí la vida, las personas, la cocina y… cualquier cosa. También, y como no podía ser de otra manera en estos momentos difíciles, he intentado buscar combinaciones de alimentos sanos y baratos, para que enfrentarse a esta dieta, hoy menos que nunca, no suponga un quebradero de cabeza o de bolsillo.

Encontrarás tanto recetas de aprovechamiento como sugerencias particulares, para que, modificando alguno de sus elementos, puedas convertir un plato en otro distinto y también de distinto precio.

Este segundo libro de recetas proteicas que tienes ante ti es, eso sí, tan auténtico como el primero. Es decir, no tiene trampa ni cartón, exceptuando, claro está, el cartón de las cubiertas.

Este libro, *Adelgaza sin hambre y con humor con mis recetas proteicas,* soy yo y son mis recetas, y son mis fotos de cámara en modo automático. Y ya está. Si sigues lo que en cada receta denomino: «elaboración», vas a obtener exactamente el mismo resultado que ves aquí. Sin trucos. Sin más.

Aquí nada brilla mucho, porque nada esta barnizado con esmalte sintético de puertas y las carnes no tienen un marrón precioso porque no las he lacado con una reducción (al absurdo) de café con azúcar… Lo más que he llegado a hacer es sacar la fotografía con luz natural, a la luz del día.

En este nuevo libro encontrarás las recetas divididas en 5 grupos (Proteínas Puras, Proteínas y Vegetales, Salsas, Postres y Recetas de blogueros amigos). He aumentado algunas salsas y los postres porque creo que los dulces, de verdad, se agradecen cuando estás a dieta proteica.

# Y SIGO...

Espero que subdividir dentro de cada grupo las recetas por alimentos te resulte más práctico y te facilite algo más la tarea.

Respecto a las recetas de blogueros amigos, solo decir esa famosa y gráfica frase: «me llena de orgullo y satisfacción» el haber podido contar con la colaboración de cuatro estupendos blogueros y mejores amigos.

Alfonso López, del conocidísimo blog *Recetas de rechupete*, que me ha emocionado con su presentación personal. Marta, de *Travi en la cocina*, Rubén, de *Ni mata ni engorda* y Rocío de *La cocina de mi Abuelo*. A todos ellos les agradezco en el alma su aportación a esta causa.

Solo espero, como esperaba ya en mi libro anterior, que encuentres por todas partes un poco de buen humor. Ese buen humor imprescindible, tanto para emprender esta dieta, como para hacernos cargo de todos los avatares dificultosos que nos vamos encontrando en la vida. Y es ese humor, precisamente, lo que deseo compartir también, aquí, contigo.

El éxito principal de esta dieta proteica, creo yo, es que a poco que pongamos de nuestra parte, y a diferencia de lo que sucede con otras dietas, con esta es mucho más fácil pensar en positivo y sentirse bien dispuesto... ¡para lo que sea!

Será porque la dieta proteica funciona, y funciona rápido, y eso a cualquiera le da muchísimo aliento. Será porque se puede comer, y mucho y de forma libre, de todos los alimentos permitidos.

Será porque en esta dieta es imprescindible la imaginación. Cuanta más tengas a la hora de cocinar, más divertida, más creativa y menos restrictiva te parecerá tu comida y también tu vida. Y si andas escaso de ella, pues... pues, a copiar, que copiar de uno es plagio, pero de muchos es... ¡inspiración!

Y no te digo nada más. Solo que mentalizarse, sonreír mucho a los demás y a uno mismo, repetirse los logros conseguidos, probarse la ropa que nos va volviendo a servir, darse un premio de vez en cuando y buscar ese mantra personal que podamos repetir en los momentos de flaqueza espiritual y digestiva, también me parecen unos últimos buenos trucos para compartir contigo.

Y como digo siempre en mi blog *Guisándome la vida*… Ya me contarás…

**Carmen Albo**

# PROTEÍNAS PURAS

## Aves, carne y pescado

Los días de proteínas
también tienen solución,
si a tu cocina proteica...
añades imaginación.

# BROCHETA DE POLLO A LA PROVENZAL

Ingredientes para 1 ración

- 200 g de pechuga de pollo cortada en dados grandes
- 125 g de queso fresco tipo Burgos con un 0 % de materia grasa
- 1 huevo
- ajo
- limón
- aceite de oliva
- tomillo, orégano, albahaca, jugo de carne y sal

Marinar la pechuga de pavo en una mezcla de: zumo de limón, ajo picado muy fino, orégano, albahaca, tomillo, sal y unas gotas de jugo de carne. Dejar al menos durante ½ hora en este adobo, si es más tiempo, mejor.

Montar en la brocheta los trozos de pechuga de pollo intercalados con trozos de queso fresco.

Hacer las brochetas en una sartén antiadherente ligeramente untada de aceite, primero a fuego fuerte, luego más lento, durante unos 8 minutos. Tapar la sartén para que se genere vapor y el pollo se haga sin quemarse.

Retirar el pincho de la brocheta y disponer la carne y el queso en un plato, guardando el orden en que estaban montados.

Acompañar esta brocheta con un huevo a la plancha.

En cualquier dieta, incluida la proteica, el pollo es un alimento que, por versátil y económico, acaba siendo muy socorrido. El único problema que personalmente le encuentro es que, si no se acompaña bien o se adereza lo suficiente, acaba teniendo «sabor a pluma».

El huevo a la plancha me parece aquí imprescindible para mojar las brochetas en la yema y disminuir un poco la sequedad del plato.

Otra sugerencia para evitar esto sería acompañar las brochetas con salsa provenzal.

# JAMONCITO DE PAVO A LAS FINAS HIERBAS

Ingredientes para 1 ración

- 1 jamón o zanco de pavo
- ½ lima
- un manojito de hierbas (romero, tomillo, orégano). Pueden ser frescas o secas
- 100 g de queso fresco tipo Burgos con un 0 % de materia grasa
- 1 diente de ajo, pimienta molida y sal

En un mortero, majar el ajo, con la sal, las hierbas, frescas o secas, y el zumo de lima. Untar el zanco de pavo con esa mezcla.

Introducir el muslo de pavo en una bolsa para asar (o mejor, si se dispone de él, en un cofre de silicona). Cerrar la bolsa y, en la parte superior, darle tres o cuatro pinchazos con la punta de un cuchillo.

Introducir en el microondas a potencia máxima durante unos 17 minutos.

Comprobar, tocando la bolsa, que el pavo está tierno y en su punto.

Retirar la bolsa, poner el pavo en un plato y rociar con su propio jugo.

Acompañar con palitos de queso fresco. Espolvorearlos con pimienta.

Esta es una receta sana, rica, económica y fácil, que, además, es de las que pueden hacerse para toda la familia. A los que no estén a dieta, para compensar, se les puede servir con patatas fritas, y a los que sí lo estén, con los palitos de queso fresco y con mucha fuerza de voluntad.

Si se hacen varias raciones, las sobras, que las habrá, las aprovecharemos para otras recetas.

# MILHOJAS DE PAVO CON QUESO Y HUEVO

Ingredientes para 1 ración

- 200 g de pavo fresco adobado, cortado en 2 filetes
- 100 g de queso fresco tipo Burgos con un 0 % de materia grasa
- 1 huevo
- salsa provenzal, hierbas frescas y aceite de oliva

Hacer a la plancha los filetes de pavo adobado. Si se prefiere adobarlo en casa, sazonar los filetes de pavo con pimentón de la Vera dulce, ajo y cebolla en polvo. Dejar macerar ½ horita antes de llevarlo al fuego. Cocinar y reservar tapado.

En la misma plancha o sartén untada de aceite, hacer el huevo. Reservar junto con los filetes.

Cortar el queso fresco en dos discos.

Colocar en un plato un filete de pavo adobado, el queso, otro filete, y para terminar, el huevo «a caballo».

Espolvorear con las hierbas y acompañar con salsa provenzal.

Este plato es otra de las recetas exprés muy prácticas a las que, por mucho que queramos evitarlo, al final acabamos recurriendo con mucha más frecuencia de lo que imaginábamos.

El pavo preparado de esta forma, y más aún el que ya compramos adobado, recuerda muchísimo el sabor de la popular y conocida cinta fresca de lomo de cerdo adobada. Para qué nos vamos a engañar: yo creo que ese es el motivo por el que este plato me gusta tanto.

Ni que decir tiene que este sándwich de proteínas puras requiere una salsa que lo aligere y le aporte un poco más de alegría. He elegido la salsa de finas hierbas porque me pareció más fresca y menos especiada para compensar el adobo que, en sabor, ya aporta lo suyo.

# PECHUGA RELLENA DE JAMÓN Y QUESO

Ingredientes para 1 ración

- 250 g de pechuga de pavo fresca, cortada en un filete
- 3 lonchas de jamón york bajo en grasa
- 2 lonchas de queso light
- 1 trocito de cebolla (unos 15 o 20 g)
- salsa perrins
- aceite de oliva
- sal, orégano

Cortar la cebolla en láminas finas. Asar en el microondas dentro de un cofre de silicona o envuelta en papel film apto para ese tipo de hornos durante 2 minutos. Reservar.

Estirar muy bien la pechuga de pavo y retirar todos los pellejos y nervios que encontremos. Salar ligeramente y sazonar con salsa perrins.

Cubrir la pechuga con las lonchas de jamón york. Repartir sobre el jamón las lonchas de queso cuidando de que no llegue hasta los bordes. En el centro colocar la cebolla asada reservada formando una tira. Espolvorear con orégano.

Enroscar la pechuga en el mismo sentido en que hayamos puesto la tira de cebolla. Cerrar con ayuda de unos palillos. Untar ligeramente con aceite y asar en el horno previamente calentado a 200 °C unos 10 minutos. Bajar la temperatura a 170 °C y dejar otros 5 minutos más.

Retirar los palillos de la pechuga en caliente resultará más fácil. Esperar a que se enfríe un poco para que así se solidifique el queso. Cortar y servir tibia.

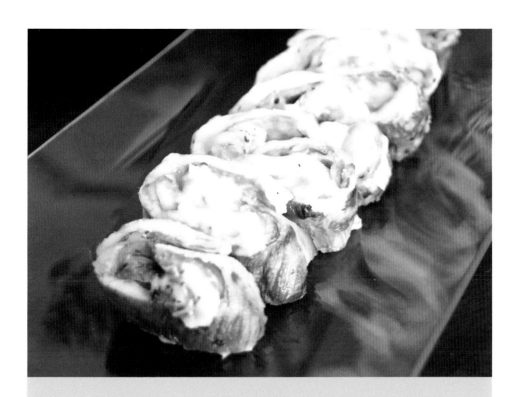

Este plato es otra de esas recetas inestimables que, de tan ricas como están, sirven para que, sin protestar, se las coma toda la familia. Asunto que, dicho sea de paso, facilita bastante la tarea diaria en la cocina.

Acompañadas de unas patatitas fritas para unos, y de la fuerza de voluntad suficiente para no meter la mano en plato ajeno, en el caso de otros, os aseguro que nadie en vuestra casa notará, y lo que es más importante nadie protestará, por estar comiendo como si estuvieran a dieta.

# NUGGETS DE POLLO CON «KETCHUP»

Ingredientes para 1 ración

- 300 g de pechuga de pollo fresca
- 2 cucharadas de salvado de avena
- 1 cucharada de sésamo
- 1 cucharada de sofrito de tomate

- 1 cucharadita de leche en polvo
- salsa de soja
- cebolla en polvo, sacarina y pimienta molida

Cortar la pechuga de pollo en 6 trozos. Marinar durante al menos ½ hora en salsa de soja con unas gotitas de edulcorante y pimienta molida.

Mezclar en un plato el salvado de avena con la cucharada de sésamo. Rebozar en esta mezcla los trozos de pollo. Mojarlos bien en el jugo de la marinada para que se pegue fácilmente el rebozado.

Untar con aceite un trozo de papel de horno o un silpat si disponemos de él. Colocar el pollo sobre la hoja untada de aceite e introducirlo en el horno previamente calentado a 225 °C, durante 5 minutos para que se dore. Bajar la temperatura a 170 °C y dejar otros 5 minutos más. Vigilar la cocción para que el sésamo no se queme ni los trozos de pollo queden demasiado secos. Es importante que estén en su punto para que resulten jugosos.

Aplastar con un tenedor el sofrito de tomate imprescindible (véase p. 138) para eliminar un poco los tropezones. Añadirle una gota de sacarina, la leche en polvo y ½ cucharadita de la cebolla. Remover bien.

Colocar este «pseudo ketchup» en el plato en que vayamos a servir esta receta, así como los nuggets de pollo recién salidos del horno.

No sé si será porque esta receta recuerda bastante a esos otros nuggets tan calóricos que podemos degustar en cualquier cadena de comida rápida, pero lo cierto es que este es otro plato consolador, de esos que nos hacen olvidar que estamos a dieta.

Es muy importante darles el punto justo al hornearlos y no pasarse, pues de ello depende que el pollo quede jugoso o que se convierta en un perfecto «ladrillo».

# FAJITAS DE POLLO, ¡SIN VEGETALES!

Ingredientes para 1 ración

- 200 g de sobras de pollo o pavo de una receta anterior, o de pechuga fresca
- 3 claras de huevo
- 1 huevo entero
- 2 cucharadas de queso fresco de untar con un 0 % de materia grasa
- ½ tomate seco
- sazonador para fajitas o burritos, cilantro seco molido
- caldo desgrasado o agua

Antes de empezar, poner el tomate seco en remojo en un poquito de agua. Cuajar las claras en una sartén antiadherente formando una especie de tortita redonda o crepe. Mientras se cuaja la tortita, salar ligeramente y, si se desea, añadir un poco de cilantro molido. Reservar.

Batir el huevo y, en la misma sartén, cuajar como si fuese una tortilla francesa. Reservar.

Utilizando siempre la misma sartén untada de aceite, disponer en ella los trozos de sobras de pollo o de pavo cortados en tiras, sazonar y añadir 3 cucharadas de agua o caldo.

Dejar que se reduzca ligeramente el líquido y añadir el queso fresco de untar. Remover bien. Dejar sobre el fuego unos minutos hasta que se deshaga el queso y la mezcla resulte untuosa.

Colocar sobre la tortita de claras, el pollo con su salsa, la tortilla francesa cortada en tiras y el tomate seco previamente hidratado y picado. Envolver ¡y listo!

Esta fajita de estilo mexicano es una solución sencilla y barata para comer en uno de los aburridos días de proteínas puras.

Puede hacerse perfectamente con restos de pollo, pavo o ternera que tengamos del día anterior. Es más, yo creo que hasta está más rica si se hace en la versión económica de aprovechar sobras que con carne «recién estrenada».

Si no tuviésemos restos, se puede hacer perfectamente cortando y salteando tiritas de pechuga de pavo o pollo, de ternera, o incluso de jamón york bajo en grasa.

# PAVO JUGOSO AL CURRY

Ingredientes para 1 ración

- 300 g de pechuga de pavo fresca
- 3 cucharadas de queso fresco batido con un 0 % de materia grasa
- cebolla en polvo
- curry, sal, edulcorante y pimienta molida
- 1 yogur de coco con un 0 % de materia grasa o 1 yogur natural edulcorado

Cortar la pechuga de pavo en trozos del tamaño de los de la fotografía. Untar de aceite una sartén antiadherente y a fuego fuerte dorar bien los trozos hasta que adquieran color. Remover a menudo para que no se peguen.

Cuando el pavo esté dorado, añadir la cebolla y el curry, ambos generosamente, así como la pimienta y la sal.

Rehogar brevemente y añadir el queso fresco batido. En cuanto el queso se caliente, se licuará. Dejar que el pavo se haga a fuego entre medio y bajo en esa salsa durante unos 15 minutos cuidando de que no se consuma todo el líquido. Si es necesario, añadir un poco de agua para que no se pegue.

Probar, y si el pavo ya está hecho, añadir unas gotas de edulcorante para contrarrestar la acidez del queso y comprobar el punto de sal. Retirarlo junto con los restos de cebolla que se habrán hidratado y cocinado con él.

Colocar el pavo bien caliente en el plato donde se vaya a servir y rociarle el yogur de coco, previamente mezclado con 1 cucharadita de curry en polvo. Decorar con alguna hierbita fresca y verdecita.

Siempre bajo la premisa de intentar ahorrarnos trabajo en la cocina, y quedar bien sin morir en el intento, os diré que esta es otra receta que con un ligero truquillo se puede convertir en familiar y muy celebrada, sin que nadie note que estamos colando disimuladamente una receta de nuestra dieta proteica.

Lo digo porque he testado en mi propia familia este plato y ni siquiera mi detector habitual de platos de dieta camuflados emitió el más mínimo sonido.

El truco consiste en que cuando estemos ya cocinando el pavo, pero aún esté algo crudo, retiramos un poco a otra sartén o cazuela, le añadimos nata líquida, algo más de curry y dejamos que la nata se reduzca y se vuelva untuosa mientras nuestro pavito se termina de hacer en la primera sartén. No falla. Empíricamente comprobado.

# ALBÓNDIGAS DE PAVO

Ingredientes para 1 ración

- 300 g de carne de pavo o de pollo, picada
- 1 huevo (o 2 claras)
- 2 cucharadas de salvado de avena
- 1 diente de ajo
- sal, aceite de oliva, comino y canela

Para la salsa

- ¼ de cebolla (15 o 20 g)
- 1 cucharada de leche en polvo desnatada
- 100 ml de caldo de ave o de carne bajo en grasa
- cebollino

Mezclar en un recipiente adecuado la carne picada de pavo o pollo con: el huevo batido, el salvado de avena, el diente de ajo picado muy fino y la sal. Añadir a continuación el comino y la canela en cantidad ligeramente «rumbosa».

Precalentar el horno a 200 °C. Formar 6 albóndigas con las manos. Tienden a pegarse, de modo que mojarse las manos en agua fría ayudará a evitarlo.

Colocarlas sobre un papel de horno o un silpat. Untar ligeramente con aceite de oliva y hornear durante 15 minutos. Los primeros 8 minutos a fuego fuerte, 200 °C, para que se doren por fuera, y el tiempo restante a 180 °C.

Mientras se hacen, dorar la cebolla picada muy fina en una sartén untada de aceite. Remover constantemente para que no se pegue. Disolver la leche en el caldo. En cuanto la cebolla tome un ligero color, añadir el caldo. Dejar al fuego hasta que se reduzca la salsa como para que queden 6 cucharadas.

Colocar las albóndigas recién salidas del horno en el plato donde se vayan a comer. Poner sobre cada una 1 cucharada de la salsa bien caliente. Para decorar, espolvorear con cebollino picado.

La verdad es que yo repito bastante esta receta, precisamente porque es rápida, baratita y sabrosa.

El único truco para que este plato esté rico es conseguir que las albóndigas queden jugosas por dentro. Si nos excedemos en el tiempo de horno, os aseguro que pasan a convertirse directamente en pelotas de golf. Por mucho que a alguien le guste ese deporte, y por mucha hambre que se pueda tener, no encuentro por ninguna parte la posibilidad de comerme 6 pelotas con las que se practica este deporte... por mucha salsa que les ponga.

Ojo con los hornos y los tiempos. Los que yo os doy son orientativos, porque dependiendo tanto del horno, como de la altura a la que se sitúe la bandeja los tiempos variarán siempre ligeramente. Pinchar la albóndiga con una aguja fina ayuda a comprobar cómo están de jugosas.

# POLLO EN SU JUGO AL LIMÓN

Ingredientes para 1 ración

- 1 muslo con su contramuslo de pollo
- 130 g de queso fresco tipo Burgos con un 0 % de materia grasa
- ½ lima o limón
- 1 diente de ajo
- salsa perrins
- sal y pimienta molida
- orégano fresco para decorar (opcional)

Sobre una tabla de cocina picar muy fino el ajo, rallar encima la cáscara de lima o de limón y añadir la sal y la pimienta molida.

Retirar la piel y toda la grasa posible del pollo. Rebozarlo sobre esta mezcla presionando bien para que se adhiera a la carne.

Introducir el pollo en una bolsa para asar o utilizar el cofre de silicona si se dispone de él. Salpicarlo con un poquito de salsa perrins. Cerrar la bolsa y dar tres o cuatro pinchazos con la punta de un cuchillo en su parte superior.

Introducir en el microondas a máxima potencia durante unos 16 minutos. Comprobar, tocando la bolsa, que el pollo está en su punto, cocido y tierno.

Retirar el pollo de la bolsa con cuidado de no derramar el jugo. Servirlo acompañado del queso fresco espolvoreado con orégano.

Esta es otra receta sana, rica, económica, fácil y que además es apta para todos los públicos o, lo que es lo mismo, para toda la familia.

A los que no estén a dieta, para compensar, se les puede servir el pollo acompañado de puré de patatas o de arroz blanco. Para los que sí lo estén, acompañado del queso fresco y de mucha fuerza de voluntad.

Si se hacen varias raciones, podemos aprovechar las sobras para otras recetas.

# PLATO COMBINADO
# PRIMEROS AUXILIOS

Ingredientes para 1 ración

- 1 bistec de ternera de unos 200 g
- 100 g de queso fresco tipo Burgos
  con un 0 % de materia grasa
- 1 huevo

- aceite de oliva
- tomillo
- jugo de carne
- sal

Untar una parrilla con el aceite y hacer en ella el bistec de ternera hasta que alcance el punto de cocción que nos agrade. Salar la carne en el momento de retirarla del fuego, y no antes.

Mientras, en una sartén antiadherente también untada igualmente con aceite, hacer el huevo a la plancha en una parte de la sartén, y en otra, al mismo tiempo, dorar el queso fresco cubierto con tomillo y unas gotas de jugo de carne

Colocarlos todos en el mismo plato, y listo para comer.

No nos engañemos, si llevamos muchos días de dieta proteica, en su versión jornada de proteínas puras, esta especie de plato combinado será una cómoda salvación cuando no haya tiempo para comprar o cocinar nada más.

El quesito a la plancha con jugo de carne y tomillo será un comodín de acompañamiento fácil y muy sabroso en muchos platos de dieta proteica.

Otra sugerencia sería acompañar este plato combinado básico con salsa provenzal.

# OSOBUCO AL CALDERO

Ingredientes para 1 ración

- 2 piezas de osobuco de unos 300 g
- 100 g de queso fresco tipo Burgos con un 0 % de materia grasa
- aceite de oliva
- pimentón de la Vera dulce
- sal

En una cazuela con agua y sal cocer las dos piezas de osobuco. En una olla ultrarrápida demorará unos 15-20 minutos en función de la presión que alcance, y en una cazuela convencional el tiempo aproximado será 1 hora y media.

En un plato, colocar la carne ya cocida y acompañarla del queso fresco cortado en forma de bastones que producirán el efecto «patata» de esta receta tradicional.

Rociar la carne y el queso con un espray de aceite de oliva y espolvorear con el pimentón.

Esta es la versión adaptada para dieta proteica de la tradicional y deliciosa receta gallega de carne «ó caldeiro».

Para facilitar la dieta y compaginarla con la cocina general de casa, suelo hacerla para toda la familia. Los afortunados se comen el osobuco (o morcillo) acompañado de patatas cocidas y de una cantidad generosa de aceite de oliva.

El caldo resultante se cuela, se desgrasa una vez frío, y se congela para utilizarlo en otras ocasiones.

# STEAK TARTAR

Ingredientes para 1 ración

- 1 filete de ternera de unos 250 g
- 1 cucharada rasa de pepinillo agridulce, 1 cucharada rasa de cebolla y 1 cucharada rasa de alcaparras, todo picado muy fino
- 1 yema de huevo
- ½ lima
- pasta wasabi, mostaza, salsa perrins, ketchup sin azúcar y sal

Limpiar por entero el filete de pellejitos. Con un buen cuchillo, cortarlo en tiritas muy finas. Volver a cortar las tiritas de carne en sentido contrario hasta obtener una especie de carne picada. Reservar.

En un recipiente amplio, mezclar bien la carne con la cebolla, el pepinillo y las alcaparras.

Añadir el zumo de lima y la mostaza en cantidad al gusto, ketchup sin azúcar y salsa perrins (más o menos 1 cucharadita de cada uno de los condimentos). Incorporar un poquito de wasabi. Mezclar bien.

Con ayuda de un aro de emplatar o de un molde, colocar en el centro del plato la carne ya aliñada. En el momento de comer, colocar sobre ella una yema de huevo cruda.

Romper la yema, mezclar con la carne, y listo para comer.

Si os da cierto repelús la carne cruda, os diré que en esta receta ni se nota que lo está. Y ya de paso, os sugiero también que os animéis a probarlo. En cualquier caso, y como sobre gustos no hay nada escrito, si preferís darle un toque de plancha al bistec y luego picarlo, haced como más os guste. Lo de colocar la yema entera encima de la carne y romperla sobre ella, no tiene más chiste que el de que quede más vistosa la presentación. Si os resulta más fácil, añadir la yema justo en el momento de comer el steak tartar y mezclar bien.

# ROLLO DE CARNE MORUNO

Ingredientes para 2 raciones

- 400 g de carne de ternera sin grasa, picada
- 2 huevos
- 3 lonchas de queso light
- 1 cucharadita de ras el hanout (mezcla de especias marroquí)
- sal

Cocer un huevo hasta que esté casi duro, pelarlo y cortarlo en 4 trozos a lo largo. Mientras tanto, mezclar la carne con 1 huevo batido, la cucharadita de ras el hanout y la sal.

Cortar un amplio rectángulo de papel film transparente apto para cocinar. Sobre él, formar con la carne picada un rectángulo de 1 centímetro de grosor. Cuidar que sobre papel film alrededor.

Colocar las lonchas de queso sobre la carne. Evitar que el queso quede cerca de los bordes. En el centro del rectángulo colocar los huevos cortados en cuartos formando una tira.

Con ayuda del papel film, enroscar la carne en el mismo sentido en que hayamos dispuesto la tira de huevo. Envolver bien en papel film el rollo de carne resultante. Cerrar bien los extremos para que no se salga el jugo. Envolver una vez más el rollo con papel film transparente en sentido contrario para que quede lo mejor sellado posible.

Colocar el rollo en un cofre de silicona o en una bolsa de asar. Cocinar en microondas a potencia máxima 5 minutos. Retirar y dejar que se entibie la carne para evitar que se rompa y conseguir que se solidifique un poco el queso. Cortar en rodajas gruesas, y listo para comer.

Esta es otra recetita de lo más apañadita. Apañadita por su facilidad y rapidez a la hora de cocinarla y por lo que cunde con relación a lo que cuesta. Y por supuesto, que de eso se trata siempre, muy sabrosa y de las que más me gustan en los difíciles días de proteínas puras.

El ras el hanout, o mezcla de especias marroquí, es en realidad la gracia de este plato, pero podéis sustituirlo por una combinación de comino y canela, o por las especias que prefiráis.

Este rollo resulta muy jugoso (hacer cantidad para dos raciones también contribuye a que así sea), por lo que no necesita ninguna salsa que lo acompañe. Servido junto a una simple ensalada, se convierte en un plato perfecto de proteínas con vegetales.

# PASTEL DE TRUCHA

Ingredientes para 1 ración

- 1 trucha asalmonada en filetes
- 2 huevos (o 1 huevo y 2 claras)
- 2 cucharadas de leche desnatada en polvo
- 2 cucharadas de queso batido con un 0 % de materia grasa
- 1 vaso de leche desnatada
- salsa mayonesa al placebo (pág. 140)
- sal
- pimienta y unas gotas de salsa perrins

Batir muy bien los huevos, o el huevo con las claras. Añadirles la leche, desnatada en polvo, el queso batido y el vaso de leche desnatada.

Mezclar bien todos los ingredientes y aderezar con la sal, la pimienta y la salsa perrins al gusto.

Añadir los filetes de trucha en trozos.

Untar con aceite un molde apto para microondas y verter en él la mezcla anterior. Cocinar a potencia máxima durante unos 7 minutos.

Dejar templar y desmoldar en el plato en que se vaya a comer, cubrir el pastel con la salsa mayonesa.

En mi opinión, este tipo de pasteles son un recurso muy cómodo y rico para los complicados días de proteínas puras. En cuanto los probéis, creo que me daréis la razón.

A las cualidades del pescado que todos conocemos, podemos añadir las de la trucha que, además de sano, es un pescado con otra virtud importante en los tiempos que corren: la de su bajo precio.

Con este plato también combinarían a la perfección la salsa hindú o la salsa oriental.

Una sugerencia: podéis sustituir la trucha por salmón fresco, salmón ahumado, langostinos congelados o por una mezcla de algunos de estos ingredientes marinos.

# TIMBAL DE PULPO A LA CUASI GALLEGA

Ingredientes para 1 ración

- 200 g de pulpo cocido
- 1 huevo más 2 claras

Para la salsa

- 1 yema cocida
- 1 cucharada de leche desnatada en polvo
- 1 chorrito de leche desnatada
- vinagre de jerez al gusto, sal y pimentón de la Vera

Batir las claras hasta que queden espumosas. En ese momento añadir la yema del huevo y batir un poco más.

En una sartén untada con aceite, cuajar la mezcla, primero la mitad y luego el resto, para obtener 2 tortillas del tamaño de la sartén. Reservarlas.

Desmenuzar con un tenedor la yema cocida, añadirle la cucharada de leche en polvo, la sal y el vinagre para compensar el dulzor de la leche en polvo. Añadir el pimentón. Remover bien para deshacer cualquier grumito que aún pueda quedar en la yema. Añadir poco a poco leche hasta obtener una salsita espesa.

Colocar una de las tortillas en un plato. Poner encima el pulpo cortado en trozos y, sobre este, disponer la mayor parte de la salsa.

Cubrir con la otra tortilla, decorar el plato con la sala sobrante y espolvorear con el pimentón.

No sé si es solo impresión mía, pero el pulpo, además de las cualidades de sus proteínas marinas, es de los que más sacian entre los alimentos del mar.

Afortunadamente ya es fácil encontrar pulpo precocido en casi todas las grandes superficies, aunque no voy a negaros que sea más rico y más barato el que cocemos nosotros en casa.

Como sugerencia alternativa podéis rellenar este timbal, por ejemplo, de salmón ahumado, requesón 0 % en materia grasa, huevo cocido y un toque de cebollino o eneldo.

# VIEIRAS CON PULPO «Á FEIRA»

Ingredientes para 1 ración

- 250 g de pulpo cocido
- 2 vieiras limpias (pueden ser congeladas)
- ajo
- aceite de oliva
- pimentón de la Vera dulce
- sal

Freír un diente de ajo picado muy fino en 1 cucharada de aceite de oliva virgen, cuidando de que no se queme. Sacar de la sartén y escurrir en papel de cocina. Reservar.

En la misma sartén dorar por ambos lados las vieiras. Salar ligeramente. Mientras aún estén crudas, incorporar el pulpo cocido.

A continuación, incorporar el ajo ya escurrido y la sal, mientras se calienta el pulpo y se terminan de hacer las vieiras.

Disponemos pulpo y vieiras en un plato, y espolvoreamos todo con pimentón de la Vera.

El pulpo, además de que sus proteínas son marinas y de las ventajas que esto implica cuando se piensa en adelgazar, es de los alimentos que más sacian.

Ahora es fácil encontrar pulpo precocido en casi todas las grandes superficies. La ventaja del que cocinamos en casa es que resulta más sabroso y también más barato.

Aprovechad cuando hagáis una receta de pulpo familiar, para «robar» un poquito para vuestra dieta.

# TARTAR DE ATÚN ROJO

Ingredientes para 1 ración

- 250 g de atún rojo
- alga wakame deshidratada
  (2 cucharadas)
- ½ lima
- salsa de soja
- pasta wasabi o mostaza
- salsa perrins y sésamo para
  decorar

Hidratar el alga wakame en agua, siguiendo las instrucciones del fabricante.

Cortar con cuchillo el trozo de atún rojo hasta conseguir dados pequeños como los que aparecen en la foto. Reservar.

Picar el alga wakame previamente hidratada. En un recipiente adecuado, mezclarla con el atún que teníamos reservado.

Marinar, durante un mínimo de ½ hora, el pescado y el alga con el zumo de lima, la salsa de soja y la salsa perrins al gusto. Añadir un poquito de pasta wasabi. Mezclar bien. Comprobar si necesita sal.

Poner el pescado ya marinado en un recipiente que sirva de molde. Volcarlo en el plato donde vayamos a comer y decorar espolvoreando por encima semillas de sésamo.

Esta es una receta sana, rica, rápida y fácil de hacer a la que solo podemos ponerle un pero: el precio del atún rojo.

Para un día en que podamos concedernos un merecido premio, es perfecto, pero para la mayoría de esos otros días en que, aun mereciendo todos los premios del mundo no podemos dárnoslos, os confesaré que esta misma receta realizada con un jurel o chicharro bien fresquito es un lujo gastronómico al alcance de todos.

A los que no os hayáis atrevido aún a experimentar con pescados en crudo, os diría que os animaseis a hacerlo. El pescado, estando aún crudo, se marina y casi se cocina con el zumo ácido de la lima. Si no os gusta el pescado crudo, que aunque sea una lástima puede suceder, dar un toque de plancha al pescado antes de cortarlo, y proceder después como indica la receta.

# ALBÓNDIGAS DE MERLUZA Y LANGOSTINOS

Ingredientes para 1 ración

- 300 g de merluza
- 3 langostinos (pueden ser congelados)
- 1 huevo (o 2 claras)
- 1 cucharada de leche en polvo desnatada
- 1 diente de ajo
- laurel
- sal, aceite de oliva, cebollino, perejil y mezcla de pimientas molidas

Para la salsa

- ¼ de cebolla (15-20 g)
- ½ cucharadita de maicena
- 100 ml de caldo de pescado pimentón de la Vera dulce

Poner a hervir 1 litro de agua con sal y una hoja de laurel. Cocer los langostinos un par de minutos, retirarlos y reservar.

En la misma agua de los langostinos cocer la merluza. Cuando esté aún algo cruda, retirarla del agua, apartar piel y espinas, y reservar. Reducir el caldo al fuego.

Mezclar en una batidora la merluza, los langostinos pelados, el jugo y los corales de las cabezas, el huevo, el ajo, la leche en polvo, el perejil y el cebollino.

Calentar el horno a 200 °C. Formar 6 albóndigas con las manos. Colocarlas sobre un papel de horno o un silpat. Untar con aceite y espolvorear con la mezcla de pimientas. Hornear durante 10 minutos. Los primeros 5 a 200 °C, para que se doren, y los otros 5, a 170 °C.

Mientras, dorar el trocito de cebolla picada muy fina en una sartén con un poco de aceite. Disolver la maicena en el caldo. Cuando la cebolla esté dorada, añadir el caldo. Dejarlo 3-4 minutos hasta que queden unas 6 cucharadas, añadir pimentón al gusto y remover.

Colocar la salsa en un plato y ponerlas encima. Espolvorear el cebollino picado.

Esta es una forma diferente de comer pescado en los días de proteínas puras. Los pescados congelados siempre resultan más económicos y son ideales para estas elaboraciones.

Esta receta puede hacerse perfectamente con pescados frescos más baratos como trucha o caballa.

El único truco para que esté rico es conseguir que las albóndigas queden jugosas por dentro. Ojo con los hornos y los tiempos. Los que os doy son orientativos y varían según cómo sea el horno y también según a qué altura se sitúe la bandeja, por eso conviene vigilar y pinchar las albóndigas con una aguja fina, para comprobar que estén jugosas.

# HUEVOS PSEUDOBENEDICTINE

Ingredientes para 1 ración

- 2 huevos
- 150 g de salmón ahumado
- 2 tortitas de avena
- 2 cucharadas de salsa oriental (pág. 146)
- eneldo

Utilizar como base del plato las tortitas de avena que encontraréis en la página 164 de este libro. Confeccionar la receta exactamente igual, pero sin incluir la sacarina ni la canela. Es mejor si podéis darle forma redonda y más gordita, si no es posible, recortar la tortita con cortapastas. Reservar.

Forrar el interior de dos tazas pequeñas con papel film. Romper los dos huevos y depositarlos en el interior de las tazas. Formar dos pequeñas bolsitas con el papel film, ajustando los huevos lo más posible y atarlas como saquitos.

En un cazo, llevar el agua a ebullición, introducir los saquitos, retirar el cazo del fuego y dejarlos reposar en el agua hirviendo hasta que la clara esté cuajada y la yema semicruda.

Disponer en un plato las tortitas de avena cubiertas con la salsa oriental. Colocar encima una loncha de salmón ahumado. Poner los huevos escalfados y alrededor de estos ir colocando el salmón restante como si fuese un nido.

Dar unos toques con el resto de la salsa oriental y espolvorear con eneldo.

Para ser receta de día de proteínas puras, y ya que no tengo abuela, os diré que no se le puede pedir más.

Como variante, podéis cambiar la salsa de acompañamiento por la deliciosa salsa provenzal. Seguro que también quedará estupenda.

Y otra sugerencia sería sustituir el salmón ahumado por jamón york bajo en grasa, o por cecina.

# REVUELTO DE BACALAO Y GAMBONES

Ingredientes para 1 ración

- 150 g de bacalao ya desalado (migas, taquitos)
- 4 gambones congelados
- 1 huevo y 2 claras
- 1 cucharada de queso de untar con un 0 % de materia grasa
- 1 diente de ajo
- perejil
- aceite de oliva y tabasco

Descongelar y pelar los gambones. Reservar.

Batir ligeramente el huevo junto con las claras, el queso de untar, y unas gotas de tabasco al gusto. Reservar.

En una cucharadita de aceite, freír el diente de ajo picado muy fino, cuidando de que no se queme. Escurrir sobre papel absorbente de cocina. Reservar.

En la misma sartén, saltear los taquitos o migas de bacalao y los gambones al mismo tiempo. Añadir el ajo y, cuando aún estén ligeramente cocidos los gambones, agregar la mezcla de huevos y queso.

Unos segundos antes de retirar el revuelto del fuego, añadir el perejil picado.

Los revueltos siempre acaban siendo una de las soluciones más cómodas, socorridas y recurrentes para los días en que toca comer proteínas puras.

Precisamente para evitar ese posible exceso de huevos en el que fácilmente podemos caer en todas las preparaciones que lo requieren, yo siempre utilizo un solo huevo y dos claras. De verdad que casi ni se nota.

Este revuelto puede hacerse con migas o taquitos de bacalao. En realidad, el resultado es el mismo, y con migas resulta mucho menos caro.

También podemos utilizar restos de pescados ya cocinados para realizar esta receta. La única diferencia es que ese pescado de restos lo añadiremos en el último momento, cuando estemos cuajando ya los huevos.

# SÁNDWICH DE SALMÓN Y HUEVO CON SALSA AL ENELDO

Ingredientes para 1 ración

- 125 g de salmón ahumado
- 1 huevo duro
- 1 cucharada de queso de untar con un 0 % de materia grasa
- 1 huevo
- 1 cucharada de yogur con un 0 % de materia grasa
- 2 cucharadas de salvado de avena y 1 de salvado de trigo
- 1 cucharadita de levadura en polvo y una pizca de sal
- cebollino, alcaparras, eneldo y mostaza

Mezclar bien todos los ingredientes del pan en un recipiente. Verter la mezcla en un molde apto para microondas que tenga forma cuadrada o rectangular.

Tapar el molde con papel film y cocer en el microondas 3 minutos a la máxima potencia. Comprobar el punto de cocción por si hubiera que añadir algo más de tiempo.

Dejar entibiar el pan ya cocido, desmoldarlo y cortarlo en dos partes en sentido longitudinal.

Mezclar la cucharada de queso fresco de untar con el cebollino y las alcaparras picados muy finos. Añadir la mostaza y el eneldo seco. Mezclar bien.

Colocamos la salsa sobre la primera rebanada de pan, encima el salmón ahumado y sobre él el huevo duro cortado en rodajas. Tapamos con la otra rebanada y listo para comer.

Con esta recetilla lo que obtendremos es un consolador «bocasándwich», que en los complicados días de proteínas puras, no es por nada, pero yo creo que aún se agradece más.

Puede sustituirse el salmón por pavo o jamón york bajo en grasa, al que podemos añadir queso fresco tipo Burgos con un 0% de materia grasa. Lo que desde luego necesita siempre este «bocatilla» es alguna salsa que lo humedezca un poco.

Con las que hay en el libro y vuestra imaginación, seguro que inventáis un montón de combinaciones, por ejemplo, tortilla francesa y atún al natural.

Si estáis en días de proteínas y vegetales, no hace falta que os diga cuánto mejora el asunto con un tomate madurito cortado en rodajas...

# TIMBAL DE QUESO, GAMBAS, TORTILLA Y CECINA CRUJIENTE

Ingredientes para 1 ración

- 200 g de queso de untar con un 0 % de materia grasa
- 3 gambas grandes o 6 pequeñas
- 1 huevo y 1 clara
- 50 g de cecina en lonchas finas
- 2 cucharadas de leche en polvo desnatada
- cebollino o hierbas frescas a elegir

Hacer una tortilla francesa en una sartén untada de aceite. Reservar.

Colocar las lonchas de cecina entre dos papeles de horno. Introducirlas en el horno unos 20 minutos a 170 °C. Dejarlas hasta que estén crujientes y resulte fácil romperlas con las manos.

Echar en un bol el queso de untar y la leche. Mezclar bien. Incorporar la tortilla y la cecina crujiente cortadas en pedacitos y el cebollino, o hierba elegida, en cantidad generosa.

Cocinar las gambas en una sartén untada de aceite. Salar ligeramente.

Sobre el plato de presentación, verter la mezcla en un aro de emplatar (o en su defecto en cualquier otro molde), y formar el timbal. Colocar encima las gambas y adornar con los trocitos sobrantes de cecina crujiente y cebollino picado.

Otra receta que se puede hacer en un momento y sin mucha premeditación, porque todos los ingredientes forman parte de ese fondo de armario del cocinero ejemplar de dieta proteica que todos deberíamos tener.

Si queréis agilizar aún más los trámites, dejad la cecina en estado natural y os ahorraréis el tiempo de horno. Si además utilizáis gambas ya cocidas, ni siquiera mancharéis la sartén.

Otra opción más barata es usar daditos de jamón york bajo en grasa o pechuga de pavo en lugar de cecina, así como poner palitos de cangrejo, en vez de gambas. ¡Y también está rico!

Y si tenéis algún resto de pollo o pavo de otro día, al centro y a dentro. Este timbal es como yo: ¡se lo come todo!

# ROLLITOS DE JAMÓN Y ATÚN

Ingredientes para 1 ración (2 rollitos)

- 4 lonchas de jamón york bajo en grasa
- 2 claras de huevo
- 1 lata de atún al natural
- 100 g de queso de untar con un 0 % de materia grasa
- 1 cucharada de leche en polvo desnatada
- perejil y medio tomate seco

Cuajar las claras en una sartén untada de aceite formando una especie de tortilla francesa. Retirar, cortar en cuadraditos y reservar.

Mezclar en un recipiente amplio el queso de untar, con la leche, la tortilla, el atún bien escurrido, el tomate picado muy fino y el perejil al gusto. Reservar.

Colocar en una tabla de cocina las lonchas de jamón york de dos en dos para formar los rollitos.

En el centro de las lonchas dobles de jamón york colocar una tira de la mezcla anterior que tiene que estar espesa.

Enroscar el jamón sobre la mezcla para formar los rollitos. Cortar cada uno en 2 trozos. Disponer en el plato y decorar con un trocito de tomate muy picado.

Esta receta es una opción rápida, cómoda y rica para esos días en que no disponemos de mucho tiempo para pasar en la cocina, pero tampoco queremos morir de tristeza y aburrimiento recurriendo al poco dinámico dúo de bistec con huevo o huevo con pechuga.

Y no sé si la fotografía da esa impresión pero, aunque no lo parezca, os aseguro que es una receta que sacia muchísimo.

# PIZZA BARBACOA

Ingredientes para 1 ración

- 4 claras de huevo
- 200 g de carne de pollo y pavo picada
- 2 cucharadas de queso de untar con un 0 % de materia grasa

- 4 huevos de codorniz
- 1 tomate seco
- sazonador sabor barbacoa, orégano fresco o seco, sal y aceite de oliva

Hidratar en agua caliente el tomate mientras elaboramos el plato.

Cuajar las claras en una sartén antiadherente untada de aceite. Formar una especie de crepe gruesa que será la base de nuestra pizza proteica. Sazonar con sal y orégano mientras se cuaja. Reservar.

En la misma sartén saltear la carne picada, sazonar con sal y con el sazonador. Remover bien para que no se pegue. Cuando la carne esté casi hecha, añadir queso fresco de untar.

Cocinar a la plancha los huevos de codorniz. Mientras se hacen, disponer la crepe en un plato. Colocar encima de la crepe la mezcla reservada de carne y queso fresco.

Disponer sobre la pizza proteica los huevos de codorniz. Espolvorear el orégano y el tomate picado muy fino.

Comer pizza en un día de proteínas puras, no es imposible, y... ¡es tan consolador!

Como ya no tengo abuelas, me atrevo a deciros yo misma que esta receta me parece estupenda y una gran ayuda para resistirse a las tentaciones, no de la carne, sino de los vegetales, en los días de proteínas puras.

Como sugerencia os diré que esta pizza también puede hacerse con sobras de pollo, pavo o ternera. Por ejemplo, con restos de pavo a las finas hierbas, de pollo al curry o de pollo en su jugo al tomillo. Recetas, todas ellas, que encontraréis en este libro.

# LASAÑA DE PROTEÍNAS MIX

Ingredientes para 2 raciones

- 250 g de carne de ternera sin grasa y picada
- 1 huevo
- 2 cucharadas de queso de untar con un 0 % de materia grasa
- 2 lonchas de jamón york bajo en grasa

- ½ cebolla pequeña (unos 20 g)
- aceite de oliva
- sal, orégano seco y albahaca fresca

Picar la cebolla muy menuda y rehogarla en una sartén antiadherente. Removerla constantemente durante unos 3 minutos para que no se pegue.

Añadir la carne, la sal y el orégano. Dejar que se haga la carne, moviéndola también constantemente para que no se queme, hasta que cambie de color y esté casi hecha. Retirar del fuego.

En la misma sartén, ya apartada del calor, añadir el queso de untar y abundante albahaca cortada. Mezclar bien.

En un recipiente apto para horno y lo más ajustado de tamaño posible, poner una capa de la mezcla de carne y queso. Añadir la mitad del huevo batido por encima y cubrir con una loncha de jamón york. Repetir la operación en el mismo orden con la segunda capa.

Introducir al horno entre medio y fuerte, unos 180 ºC, durante 7-8 minutos. En cuanto el huevo esté cuajado retirar para que resulte lo más jugoso posible.

Esta es otra receta de las que sacian bastante, así que es ideal para días en los que uno está especialmente hambriento. Esos días, al menos para mí, son como las meigas en Galicia, que haberlos, hailos.

En todas las recetas, especialmente en las que solo hay proteínas, es importantísimo dar el punto correcto de cocción a los alimentos. A falta de vegetales, sofritos y aceites que aporten esa gracia a las recetas, no podemos, encima, liquidar el poco jugo que hay a base de incinerar los alimentos convirtiendo nuestro horno doméstico en un horno crematorio.

Si queréis ser menos ortodoxos y podéis permitiros un pequeño lujo de los tolerados en esta dieta, colocad sobre las lonchas de jamón otras dos lonchas de queso light. Pero que sea light de verdad, ¿eh?

# PROTEÍNAS Y VEGETALES

## Carne, pescado y huevos con vegetales

*Verde que te quiero verde,*
*cocinero o cocinera*
*estas recetas tan verdes*
*le gustarán a cualquiera.*

# ROLLITOS DE TORTILLA, JAMÓN, QUESO Y TOMATE

Ingredientes para 1 ración

- 2 huevos y 2 claras o 1 huevo y 3 claras
- 150 g de jamón york bajo en grasa
- 10 tomates cherry
- orégano
- sal
- aceite de oliva

Batir muy bien los 2 huevos con las 2 claras, o el huevo con las 3 claras.

Cuajar los huevos batidos en una sartén untada con aceite y formar una especie de crepe gruesa. Retirar y reservar.

En la misma sartén, saltear los tomates partidos por la mitad con el orégano y la sal.

Cubrir la crepe con las lonchas de jamón york. En el centro, colocar los tomates salteados.

Enroscar la crepe y el jamón sobre los tomates.

Cortar en dos trozos y poner en un plato.

Otra idea es que podéis acompañar este rollito, muy práctico, sabroso y fácil de hacer, con un poco de la deliciosa salsa provenzal.

También puede sustituirse el jamón york por cecina o por salmón ahumado.

Este es uno de esos platos que se repiten con frecuencia e imprescindibles en la dieta proteica. No nos engañemos, son muchas las ocasiones en que hay que sobrellevar la dieta en días de prisas y cansancio, y este plato fácil y rápido es ideal para esas situaciones.

# ROLLITOS DE JAMÓN YORK Y ESPÁRRAGOS

Ingredientes para 1 ración (2 rollitos)

- 4 lonchas de jamón york bajo en grasa
- 3 claras de huevo
- 4 espárragos blancos de lata
- 100 g de queso de untar con un 0 % de materia grasa
- 1 cucharada de leche en polvo desnatada
- cebollino
- curry en polvo
- salsa perrins

Cuajar las claras en una sartén untada con aceite, formando una especie de crepe gruesa. Retirar y reservar.

Mezclar bien el queso de untar con la leche y la salsa perrins al gusto. Reservar.

Colocar en una tabla de cocina las lonchas de jamón york de dos en dos para formar los rollitos. Sobre cada una de las lonchas colocar la mitad de la crepe de clara que teníamos reservada.

Extender la mezcla de queso por encima de las claras y sobre estas colocar dos espárragos bien escurridos.

Enroscar el rollito sobre los espárragos. Cortar en dos trozos cada uno de los rollos resultantes. Colocar en un plato y espolvorear con curry y cebollino fresco.

Una idea, ya que el único vegetal de la receta son los míseros espárragos, es que podéis acompañar estos rollitos con una ración de ensalada de lechugas variadas, aliñadas con vinagre de Módena, jugo de lima y sal. O, como en la foto, con unos cuantos tomatitos cherry.

Otra posibilidad, que nos saldrá un poquito más elevada de precio, es sustituir el jamón york por cecina o por salmón ahumado. Pero la verdad es que así está estupendo y tampoco están los tiempos para tirar la casa por la ventana, ¿no?

Reservad este plato para esos días de hambre devoradora. Os aseguro que esta es una receta que sacia muchísimo...

# HAMBURGUESA ORIENTAL CON VERDURAS

Ingredientes para 1 ración

- 200 g de carne picada de pavo o pollo
- 2 claras de huevo
- un trocito de cebolla (del tamaño de un diente de ajo grande)
- salsa de soja, pasta de wasabi o mostaza
- 2 tomates medianos
- ½ pimiento verde
- aceite de oliva
- curry
- sal

Mezclar la carne picada de pavo o pollo con la clara de huevo, la salsa de soja y la pasta de wasabi o mostaza.

En el prensador de ajos, introducir el trocito de cebolla y apretar sobre la carne. Parte de lo que saldrá es líquido y debe aprovecharse para mezclarlo con la carne. Si no tenéis este aparatillo, picar la cebolla muy, muy fina.

Formar la hamburguesa con las manos y cocinarla en una sartén pintada de aceite durante unos 5 minutos; primero a fuego fuerte, luego más bajito para que se haga por dentro y no se queme por fuera.

En sartén pintada de aceite, dorar los tomates y el pimiento verde cortados en rodajas. Espolvorear con curry y sal. Hacerlos 1 minuto por cada lado.

Servir la hamburguesa a la oriental rodeada por las verduras Decorar con un toque de mostaza de Dijon y espolvorear el plato con curry.

Este acompañamiento de tomates al curry, además de rápido y cómodo, resulta delicioso y fácil de combinar con cualquier ración de proteínas, ya sean estas las de una simple tortilla, o las de cualquier pescado o carne.

Otra opción para variar el sabor de unos simples tomates, es darles un toque de sartén con sal y vinagre de Módena.

Con un poco de albahaca fresca u orégano también se «italianizará» y transformará completamente este simple y básico acompañamiento.

# SALMOREJO CON SUS SACRAMENTOS

Ingredientes para 1 ración

- 4 tomates pera o 2 grandes y maduros
- 2 tortitas de avena
- 2 huevos cocidos

- 100 g de cecina en lonchas
- ½ diente de ajo
- vinagre de jerez y sal

Triturar en una batidora eléctrica los tomates, las tortitas de avena y el medio diente de ajo.

Sazonar con un chorrito de vinagre y sal al gusto.

Enfriar el salmorejo en la nevera durante unas horas.

Verter la mezcla en un recipiente amplio. Colocar sobre el salmorejo los huevos cocidos cortados en cuartos y la cecina en forma de rollitos.

Este salmorejo, para los que seáis adictos al salmorejo o simplemente adictos al tomate, os sorprenderá por lo rico y lo fácil de hacer que es.

Yo lo encuentro un plato de lo más completo y equilibrado, y por añadidura, de lo más consolador.

Para realizar una versión de invierno de esta receta no tenemos más que triturar con batidora unos 300 g del sofrito de tomate imprescindible junto con 150 ml de caldo de carne o de ave desgrasado. Calentamos bien la mezcla y procedemos a añadirle el huevo y la cecina como en la receta de salmorejo veraniego.

# PIMIENTOS RELLENOS DE CARNE

Ingredientes para 1 ración

- 6 pimientos del piquillo en conserva
- 200 g de carne picada (de ternera o de pollo)
- 1 cebolla pequeña
- 2 cucharadas de queso de untar con un 0 % de materia grasa
- 1 cucharada de leche en polvo desnatada

- aceite de oliva
- pimienta molida, cebollino y sal

Para la salsa
- 2 pimientos del piquillo
- 1 cucharada de queso de untar con un 0 % de materia grasa
- 100 ml de caldo de pollo bajo en grasa

Escurrir muy bien los pimientos para retirar todo el aceite que traen en la conserva. Secarlos con papel de cocina.

Pelar y cortar la cebolla en láminas finas. Meterlas en el microondas (en un cofre de silicona o una bolsa de asar), y dejarlas 4 minutos a potencia máxima. Retirar y reservar.

En una sartén antiadherente untada de aceite, rehogar la carne junto con la cebolla que teníamos reservada. Salpimentar. Remover constantemente y, en cuanto la carne empiece a cambiar de color, retirarla del fuego.

En la misma sartén añadir el queso, la leche y el cebollino fresco picado. Mezclar bien. Con ayuda de una cuchara rellenar con la mezcla los pimientos del piquillo.

Disponer los pimientos ya rellenos en una sartén antiadherente. Triturar en una batidora los 2 pimientos restantes junto a la cucharada de queso de untar y el caldo de pollo. Cubrirlos con la salsa y dejar cocinar durante 5 minutos a fuego medio. Servir espolvoreados con cebollino o perejil.

Otra receta de las que de verdad se puede echar mano para que toda la familia coma lo mismo sin rompernos mucho la cabeza y, lo que casi es más importante, sin rompernos el bolsillo. Añadiéndole unas patatas paja para los afortunados que no estén a dieta, el disfraz será perfecto. Y si encima colocamos las patatas paja debajo de los pimientos formando una especie de nido, además de ricos quedarán de lo más lucido y aparente.

Para los sufridores a dieta, deciros que no será tanto el sufrimiento, porque están tan sabrosos que os olvidaréis del acompañamiento.

Por supuesto, se pueden hacer mil rellenos y esta es otra receta ideal para aprovechamientos varios. Utilizando la cebolla y el queso como ingredientes necesarios podemos mezclarlos con sobras de pollo o pescado ya cocinados, con jamón york bajo en grasa, con atún en conserva al natural y huevo duro...

# BERENJENAS RELLENAS DE CARNE

Ingredientes para 1 ración

- 1 berenjena bien grande
- 200 g de carne picada (de ternera o de pollo)
- 6 cucharadas de sofrito de tomate imprescindible
- aceite
- sal y comino en polvo
- canela (opcional)

Cortar la berenjena por la mitad en sentido longitudinal. Con un cuchillo, hacer unas incisiones en la pulpa en forma de rombos. Salar para que pierda su amargor natural y asar a horno fuerte durante 15 minutos, vigilando que no se queme y que el exterior de la piel siga estando firme.

Vaciar la berenjena asada con ayuda de una cuchara. Reservarla una vez vaciada para rellenarla. Picar la pulpa extraída y reservar.

En una sartén untada con aceite, dorar la carne removiendo bien para que no se pegue. Cuando esté a medio hacer, añadir la pulpa picada que estaba reservada, la sal y el comino al gusto.

A continuación, añadir 4 de las cucharadas de sofrito de tomate. Remover bien hasta que la carne esté en su punto.

Con ayuda de una cuchara, rellenar las berenjenas con la mezcla anterior, presionando para que queden bien prietas. Cubrir cada mitad con el resto del sofrito. Calentar en el microondas para evitar que el horno seque el relleno.

Este es, de verdad de la buena, uno de mis platos de proteína con vegetales favoritos. Si también acaba siendo uno de los vuestros os recomiendo que lo hagáis doblando las cantidades y guardéis una ración bien envasada para el próximo día de la dieta en que os toquen de nuevo proteínas y vegetales.

Sin duda, este es un plato perfecto para que toda la familia pueda comerlo sin sospechar siquiera que están tomando una receta de dieta. Con solo añadir un chorrito de aceite de oliva virgen y un poco de queso parmesano a cada mitad convertiréis las berenjenas en un plato aún más delicioso y apto para todos los públicos.

# CEBOLLAS SORPRESA

Ingredientes para 1 ración

- 4 cebollitas más bien pequeñas
- 180 g de fiambre de pechuga de pavo
- 2 lonchas de cecina
- 1 huevo
- aceite
- salsa perrins
- sal

Picar en una batidora eléctrica el fiambre de pechuga de pavo con la cecina, el huevo y la salsa perrins. Reservar.

Pelar las cebollitas. Con ayuda de una cuchara de vaciar formar un hueco sin llegar al fondo. Salar ligeramente.

Poner las cebollitas en el microondas (dentro de un cofre de silicona o una bolsa de asar), a potencia máxima durante 6-7 minutos. Tienen que quedar enteras pero bastante tiernas.

Rellenar las cebollas con la mezcla de fiambres reservada. Presionar para que queden bien rellenas formando un copete. Con la mezcla sobrante formar unas albóndigas.

Colocar cebollas y albóndigas en una fuente de horno. Untarla con aceite y hornear a 180 °C unos 12-15 minutos.

Este plato creo que os sorprenderá. Si estáis pensando que debe de resultar un poco seco, al comerlo junto con la cebolla comprobaréis que no es así.

Esta mezcla, baratita y resultona, de fiambre de pavo con cecina y un toque de salsa perrins sirve obviamente para rellenar cualquier otro vegetal. Está deliciosa como relleno de champiñones, de calabacines o de cualquier otra cosa que podáis imaginar.

# PAVO A LA MOSTAZA CON CHAMPIÑONES

Ingredientes para 1 ración

- 300 g de pechuga de pavo fresca
- 4 champiñones grandes
- 4 cebollitas pequeñas
- 125 ml de caldo de pollo bajo en grasa
- zumo de lima
- mostaza inglesa
- salsa de soja
- edulcorante
- aceite de oliva

Poner las cebollitas peladas, lavadas y ligeramente saladas en un cofre de silicona o en una bolsa de asar. Introducir en el microondas a potencia máxima durante 5 minutos. Retirar y reservar.

Mientras se cuecen las cebollitas, cortar la pechuga de pavo en trozos pequeños. Untar de aceite una sartén antiadherente y, a fuego fuerte, dorarlos bien hasta que adquieran color. Removerlos a menudo para que no se peguen.

Cuando el pavo esté dorado, añadir los champiñones cortados en cuartos. Saltear durante un minuto e incorporar las cebollas con el jugo que hayan soltado. A continuación añadir la mostaza inglesa, un chorrito de salsa de soja, un chorrito de zumo de lima y el caldo bajo en grasa.

Cocinar el pavo en esa salsa durante unos 15 minutos a fuego medio, cuidando de que no se consuma todo el líquido. Si es preciso, añadir algo de agua para que no se pegue.

Probar si el pavo ya está a punto, añadir dos gotas de edulcorante para contrarrestar la acidez y comprobar el punto de sal. Si fuera necesario rectificar.

Os diré que esta es otra de las recetas que con un ligero truquillo se puede convertir en familiar, y muy celebrada, sin que nadie note que estamos enmascarando una receta de nuestra dieta proteica.

Este pavo a la mostaza también ha pasado la prueba de mi detector habitual de platos de dieta disimulados y, al hacerlo, este sofisticado gourmet no emitió el más mínimo sonido de alarma. Simplemente aumentando la cantidad de cebollitas (que están riquísimas) y la de champiñones, y acompañando el plato de alguno de esos manjares prohibidos como arroz o patatas, el plato se transforma en una comida familiar de éxito total.

Que conste que estos pequeños engaños no tienen más que un único y loable objetivo: intentar ahorrarnos trabajo de más en el quehacer diario de la cocina casera.

# PASTELÓN DE CARNE A LA PROVENZAL

Ingredientes para 1 ración

- 200 g de carne picada de ternera (o de pollo), sin grasa
- 100 g de fiambre de pechuga de pavo
- 1 huevo
- 1 loncha de queso fundido light
- 6 cucharadas de sofrito de tomate imprescindible
- aceite de oliva
- orégano seco
- tomillo, albahaca fresca y sal

En una sartén antiadherente untada con aceite, sofreír la carne. Removerla constantemente durante 1 minuto para que no se pegue. Salpimentar.

Añadir el fiambre de pavo picado en cuadraditos y el sofrito de tomate.

Aderezar con todas las hierbas secas y frescas al gusto. Mezclar bien y rehogar todo brevemente porque después seguirá cociéndose en el horno hasta el final. Retirar del fuego y reservar.

Batir el huevo y añadirlo a la carne que teníamos reservada. Removerlo bien para que se integre con los demás ingredientes.

Disponer la mezcla anterior en una fuente de horno untada con aceite. Colocar la loncha de queso encima y hornear unos 5 minutos a fuego medio hasta que se cuaje el huevo y se caliente el pastel de carne.

Esta es otra receta de las que sacian bastante, por lo que es ideal para días en los que uno está especialmente hambriento. Es más, para mi sorpresa, no fui capaz de terminar toda la ración, así que tuve que pensar en cómo aprovechar ese restillo sobrante.

El tercio que no pude comer lo cené ese mismo día como relleno de una tortilla francesa hecha con un huevo y dos claras, acompañado de una ensalada de rúcula aderezada con sal y zumo de lima.

Ya sabéis, o reducís ligeramente la cantidad de ingredientes, o aprovecháis las sobras para cenar disfrazándolas y aumentándolas un poco. O, tampoco es mala idea, aumentáis la cantidad y, ya puestos, hacéis las raciones que queráis para toda la familia.

Como truco para maquillar esta receta y que los niños la coman encantados, no hay más que aumentar las cantidades y tipos de queso, cubrir el pastel con una capa espesita de puré de patatas ya preparado y hornear hasta que se dore.

# TOMATES Y CHAMPIÑONES RELLENOS DE CARNE

Ingredientes para 1 ración

- 2 tomates buenos, maduros y grandecitos
- 4 champiñones grandes
- 200 g de carne picada (de ternera o de pollo)
- 1 cebolla pequeña
- 2 lonchas de queso fundido bajo en grasa
- aceite de oliva
- edulcorante, tomillo u orégano seco, albahaca fresca y sal

Cortar los tomates por la mitad en sentido longitudinal. Con ayuda de un vaciador o cucharilla, sacar todo el centro de la pulpa. Reservar. Proceder de la misma manera con los champiñones, retirándoles el tallo central y reservándolos.

Meter los tomates en el microondas (en cofre de silicona o bolsa de asar) y dejarlos 3 minutos a potencia máxima. Retirar y reservar.

En una sartén antiadherente untada de aceite, escalfar la cebolla cortada finamente. En cuanto tome color, añadir los tallos de los champiñones también picados y a continuación incorporar la pulpa extraída del tomate. Salar. Dejar que se consuma el líquido durante unos 10 minutos a fuego medio. Comprobar la acidez del tomate y si fuese necesario añadir dos gotas de edulcorante

Incorporar al sofrito anterior la carne picada y el tomillo o el orégano. Salar ligeramente. En cuanto la carne pierda el aspecto de cruda, retirar y rellenar con la mezcla los tomates semiasados y los champiñones que teníamos reservados.

Colocar los tomates y los champiñones en una fuente de horno. Repartir las dos lonchas de queso fundido sobre las verduras. Hornear a 170 ºC hasta que se funda el queso. Colocar unas hojas de albahaca sobre el relleno de cada verdura y servir.

Este, junto con las berenjenas rellenas, es uno de mis platos de proteínas con vegetales favoritos. Si, como es de prever, también acaba siéndolo para vosotros, os recomiendo que dupliquéis las cantidades y que guardéis la ración sobrante bien envasada para el siguiente día en que os toquen de nuevo proteínas y vegetales. Aguanta perfectamente 2 días en el frigorífico..., si antes no se lo come alguien.

Con solo añadir un chorrito de aceite de oliva virgen y un poco de queso parmesano a cada verdura, lo convertiréis en un plato aún más delicioso y apto para todos.

Por supuesto se pueden hacer mil rellenos, con sobras de pollo ya cocinado, en vez de temera o came de pollo picada. Con requesón y jamón igualmente bajos en grasa, o con atún en conserva al natural...

# TIMBAL DE JUDÍAS VERDES, ATÚN Y HUEVO

Ingredientes para 1 ración

- 150 g de judías verdes
- 2 latas de atún al natural
- 1 huevo
- salsa americana

Cortar las judías verdes en cuadraditos y cocerlas en agua con sal hasta que estén al dente. Al mismo tiempo y en la misma agua, cocer el huevo. Escurrir y reservar.

En un molde o aro cilíndrico colocar una capa de judías, otra de atún y terminar con el resto de las judías.

Cubrir el fondo del plato en que vamos a servir las judías con salsa americana y desmoldar el timbal en el centro del plato.

Terminar colocando encima de las judías 4 rodajas del huevo duro que teníamos reservado.

Esta ensalada es bastante rápida y fácil de preparar. Puede hacerse tanto con judías verdes en conserva (más rápida todavía), como con judías verdes congeladas, cocidas al vapor sin agua durante 5 minutos en el microondas.

Otra posibilidad, para variar esta misma receta, es sustituir el atún en conserva al natural por taquitos de pavo o jamón york bajo en grasa.

# MILHOJAS DE CALABACÍN

Ingredientes para 1 ración

- 1 calabacín grande
- 100 g de bonito al natural en conserva
- 1 huevo
- 4 cucharadas de sofrito de tomate imprescindible
- sal y aceite de oliva

Cortar los extremos del calabacín y trabajar con la parte central, un trozo de unos 17 centímetros. De ese trozo, sacar 3 lonchas gruesas (de algo menos de 1 cm), desechando la primera y la última que están cubiertas por la piel del calabacín. Salar ligeramente.

Cocer el huevo hasta que esté duro. Pelar y reservar. Meter las 3 lonchas de calabacín en el microondas (en cofre de silicona o bolsa de asar). Cocer 3 minutos a potencia máxima. Retirar y reservar.

En una sartén antiadherente untada con aceite, dejar que el calabacín coja color y termine de hacerse durante unos 2 minutos. Mientras, calentar el sofrito.

Extender sobre la primera loncha de calabacín 2 cucharadas de sofrito y colocar encima el huevo duro cortado en rodajas. Poner a continuación la segunda lámina de calabacín, extender otra vez 2 cucharadas de sofrito de tomate y sobre él, disponer encima el bonito. Terminar cubriendo todo con la tercera loncha de calabacín.

Tomar este plato frío o caliente, si está recién hecho. También puede prepararse con antelación y gratinarse en el último momento.

La verdad es que todos estos platos de proteínas con vegetales son resultones, fáciles y sabrosos. Tanto, que muchos de ellos, como ya he dicho y repetiré más veces por aquí, merece la pena hacerlos para 2 días, duplicando la cantidad.

Bien guardaditos en el frigorífico, aguantan perfectamente las 48 horas que se necesitan para volver a estar en esos momentos maravillosos.

Por supuesto, se pueden hacer mil rellenos, con sobras de pescado o de pollo ya cocinado, con requesón o jamón bajo en grasa. En fin, que dejéis volar la imaginación, tanto, como ingredientes aptos para esta dieta tengáis en la nevera.

# MILHOJAS DE TOMATE, BONITO Y HUEVO DURO

Ingredientes para 1 ración

- 2 tomates buenos, maduros y grandecitos
- 100 g de bonito en conserva al natural
- 1 huevo duro
- 1 cebolla pequeña
- 2 lonchas de queso fundido bajo en grasa
- sal, pimientas variadas molidas y cebollino para decorar

Cortar a los tomates una primera rebanada que elimine la parte del tallo. Colocar cada tomate con esa parte hacia abajo sobre una tabla de cocina. Pelarlos con ayuda de un cuchillo de sierra.

Dividir cada tomate en 4 rodajas. Salar. Mientras tanto, cortar la cebolla en tiras, salpimentarla y cocinarla en el microondas a máxima potencia durante unos 5 minutos, utilizando un cofre de silicona o una bolsa para asar.

Mezclar el bonito al natural con la cebolla y comenzar a rellenar las capas de los tomates. Colocar primero la mezcla de bonito y cebolla cubierta por media loncha de queso fundido. En la capa central de cada tomate, poner dos rebanadas de huevo duro y para terminar otra capa de mezcla de cebolla y atún con otra media lonchita de queso.

Poner los tomates en una fuente de horno. Colocarlos apoyados contra una de las paredes, porque con el calor y al fundirse el queso se pueden desmoronar. Calentarlos a 180 °C hasta que se funda el queso.

Disponer los tomates en un plato. Espolvorear con cebollino picado y con un poco de sal marina gruesa.

Ya sé que acabo diciendo siempre lo mismo, pero es cierto que todos estos platos de proteínas con vegetales sirven para toda la familia, son deliciosos y por añadidura, sanos.

Si solo cocináis para vosotros no tendréis ese problema, pero tener que hacer dos menús, el de dieta y el familiar, supone, además de un trabajo extra, una tentación y un sufrimiento a veces insuperable. Por eso, yo siempre que puedo intento que los demás coman el mismo menú que yo, aunque sea disimulándolo un poco.

Si no queréis usar dos lonchas de queso fundido y queréis reducir aún más la grasa de la receta, yo creo que el requesón con un 0 % de materia grasa es la mejor opción para sustituir el queso.

# CALABACINES RELLENOS DE GAMBAS

Ingredientes para 1 ración

- 1 calabacín grande
- 150 g de gambas crudas congeladas y peladas
- 125 g de requesón con un 0 % de materia grasa
- 1 cebolla pequeña
- pimientas variadas molidas
- aceite de oliva, cebollino fresco y sal

Lavar el calabacín y desechar ambos extremos. Cortarlo en 5 trozos de igual tamaño. Con ayuda de una cucharita o vaciador, retirar la pulpa de cada trozo sin llegar al fondo, de forma que nos queden una especie de «vasitos» de calabacín.

Pelar y cortar la cebolla en láminas finas. Salar ligeramente. Meterla en el microondas a potencia máxima durante 5 minutos, utilizando para ello un cofre de silicona o una bolsa de asar. Retirar y reservar.

En el mismo cofre de silicona o en la bolsa de asar, introducir los vasitos de calabacín. Cocer 3 minutos a potencia máxima también. Retirar y reservar.

Mezclar el requesón con la cebolla que teníamos reservada, el cebollino y todas las gambas crudas picadas, dejando aparte 5 para decorar. Salpimentar.

Meter este relleno en los calabacines. Dejar en el horno a 180 °C, durante 20 minutos. Por último, 5 minutos antes de terminar, untamos con aceite las gambas reservadas y colocamos una sobre cada calabacín para que se cuezan también.

Además de reiterar lo que digo siempre de los platos de proteínas y vegetales, cosa que a estas alturas debéis saber de memoria, os diré que, a pesar de tener un 0% de materia grasa, este requesón es de lo más resultón a la hora de cocinar y, sobre todo, de hornear. Así que siempre que podáis, utilizadlo.

Ni que decir tiene que usando el requesón como aglutinante se pueden discurrir mil rellenos distintos para estos calabacines, tanto sobras de pescado o de pollo ya cocinado como jamón bajo en grasa o bonito en conserva al natural.

# ALCACHOFAS RELLENAS CON HUEVO DURO Y QUESO

Ingredientes para 1 ración

- 1 bote de alcachofas baby
- 1 lata pequeña de bonito al natural
- 150 g de queso fresco tipo Burgos con un 0 % de materia grasa
- 5 cucharadas de salsa americana
- 1 huevo cocido
- perejil para adornar

Escurrir muy bien las alcachofas baby, colocándolas boca abajo sobre papel de cocina absorbente.

En un recipiente mezclar las 5 cucharadas (3 cucharadas de mayonesa al placebo con 2 del sofrito de tomate imprescindible) y con la lata de bonito al natural bien escurrido. Reservar.

Con las manos, y usando los pulgares, abrir con cuidado el centro de las alcachofas para que quepa el relleno.

Rellenarlas una a una con la ayuda de una cucharita de postre. Una vez rellenas, colocarlas en el centro de un plato.

Acompañar con unas porciones de queso fresco y con el huevo duro para añadir proteínas a esta receta. Espolvorear con perejil picado y ¡a comer!

La verdad es que esta salsa americana, mezcla de las agradecidas mayonesa al placebo y sofrito de tomate imprescindible junto con algún aderezo más, es otro de los complementos «mejoraplatos» y «alegravidas» de esta dieta proteica.

Este plato puede tomarse tanto frío, en verano, como caliente... cuando proceda o se prefiera. Para la versión más invernal no hay más que utilizar un plato apto para horno y gratinar durante unos minutos.

# BRAZO DE GITANO VERDE

Ingredientes para 1 ración

- 200 g de espinacas congeladas
- 1 huevo entero y 1 clara
- 150 g de salmón ahumado
- 125 g de queso de untar con un 0 % de materia grasa
- 1 cucharada de leche en polvo desnatada
- aceite de oliva, nuez moscada
- eneldo y sal

Cocer durante 6 minutos las espinacas congeladas en el microondas a temperatura máxima. Ponerlas en un colador amplio y escurrirlas muy bien presionando con una cuchara. Retirar el máximo de líquido posible. Reservar.

Batir las claras a punto de nieve bien firme. Añadir la yema a las espinacas reservadas. Salar y añadir la nuez moscada al gusto. Incorporar las claras batidas a la mezcla.

Untar un silpat o una hoja de papel de horno con un poco de aceite. Formar con la mezcla un rectángulo de unos 18 x 12 centímetros. Hornear a unos 170 ºC durante 10 minutos. Retirar del horno y cubrir con un papel de cocina ligeramente humedecido.

Dejar que se enfríe unos minutos. Mezclar el queso de untar con la leche y el eneldo seco.

Extender el queso sobre la superficie del preparado de espinacas. Cubrir con el salmón ahumado y enrollar formando el típico brazo de gitano, en este caso, de color verde.

Esta es, en mi opinión, una receta ideal para cenar en días de proteínas y vegetales. De una forma bastante rápida nos hace salir del aburrido y sobreexplotado mundo de las ensaladas con loquesea de proteínas, de las que tanto acabamos abusando y que tanto acabamos aborreciendo.

Esta receta de brazo de gitano está en gran parte inspirada en una de las de mi fondo de armario para recibir en casa. Si lo cortamos en lonchitas finas, se convertirá en un perfecto entrante o aperitivo.

Como es otro plato más del que nadie puede sospechar que es de régimen, ya sabéis qué hacer si tenéis invitados y no queréis saltaros la dieta.

# BONITO CON ENSALADA Y MAYONESA DE WASABI

Ingredientes para 1 ración

- 200 g de bonito cortado en tacos
- ensalada variada
- 6 tomates cherry
- 3 cucharadas de mayonesa al placebo
- ½ lima
- aceite de oliva, sal y un poquito de pasta wasabi

En una sartén antiadherente untada con aceite, marcar los trozos de bonito a fuego fuerte. Procurar que quede poco hecho para evitar que resulte seco.

En el centro del plato en el que se va a servir, colocar la ensalada variada cortada y lavada y los tomates partidos por la mitad. Rociar con zumo de lima y sal.

Colocar sobre la ensalada los trozos de bonito poco hechos.

Mezclar la mayonesa con una pequeña cantidad de wasabi (como ½ cucharadita).

Cubrir los tacos de bonito con la mayonesa de wasabi, y listo para comer.

El bonito es un pescado delicioso y especialmente saciante, cuyo único secreto reside en no cocinarlo demasiado tiempo. Curiosamente, si se cocina más de lo debido se transforma y, de ser un alimento rico y tierno, pasa a convertirse en una especie de ladrillito con sabor a paja. He sido bastante gráfica, ¿verdad?

Si no sois aficionados a este pescado es probable que sea porque siempre lo habéis comido demasiado hecho. Probadlo en su punto y os sorprenderá.

Aunque el bonito es un pescado de temporada puede encontrarse congelado y a muy buen precio todo el año.

En el improbable caso de que no os guste el wasabi (sobre todo reducido a esta cantidad), podéis sustituirlo perfectamente por la salsa oriental.

# PIMIENTOS RELLENOS DE ATÚN Y TORTILLA

Ingredientes para 1 ración

- 6 pimientos del piquillo en conserva más 3 para el relleno
- 160 g de atún en conserva al natural (2 latas pequeñas)
- 1 huevo más 1 clara
- 2 cucharadas de queso de untar con un 0 % de materia grasa
- 2 cucharadas de leche en polvo desnatada
- 50 ml de caldo de pollo bajo en grasa
- aceite de oliva
- cebollino o perejil
- sal

Escurrir muy bien los pimientos del piquillo para retirarles todo el aceite. Secarlos con papel de cocina.

En una sartén antiadherente untada con aceite, hacer una tortilla francesa. Reservar.

Triturar en una batidora los 3 pimientos más feos con el queso de untar, la leche, el atún al natural bien escurrido y el caldo de pollo.

Añadir a la mezcla anterior abundante cebollino picado y la tortilla francesa reservada cortada en trocitos. Mezclar estos ingredientes a mano sin usar ya la batidora.

Rellenar con la mezcla anterior los pimientos restantes. Colocarlos en una fuente de horno, untarlos con aceite y hornear unos 10 minutos a 170 ºC hasta que se calienten y «enternezcan» bien los pimientos.

Otra receta ideal para rellenar de mil cosas y, lo que no es menos importante, para aprovechar mil restos.

Como la mezcla de queso de untar con la leche en polvo y el caldo resulta bastante sabrosa y enriquecedora, admite cualquier resto que podamos tener en la nevera aunque esté un poquillo desmejorado o seco.

Por ejemplo, los restos de pescado al horno o a la plancha, tan difíciles de reciclar, adquieren una segunda y magnífica oportunidad dentro de estos pimientos.

Y, por supuesto, admiten cualquier relleno de los básicos que siempre hay que tener en el fondo del armario del cocinero ejemplar de la dieta proteica, a saber: jamón york bajo en grasa, fiambre de pechuga de pavo, queso fresco tipo Burgos o cecina...

# MEJILLONES EN SALSA BRAVA

Ingredientes para 2 raciones

- 1,5 kg de mejillones frescos con concha
- 1 cebolla mediana
- 1 lata de tomate al natural troceado
- ½ pimiento rojo
- 1 diente de ajo
- 1 hoja de laurel, aceite de oliva virgen extra, tabasco y wasabi (opcional)
- 1 tarrina pequeña de queso de Burgos con un 0 % en materia grasa

Limpiar bien los mejillones arrancándoles las barbas. Lavarlos y ponerlos a cocer en una cazuela con un fondito mínimo de agua. No añadir sal. Según se vayan abriendo, retirarlos uno a uno de la cazuela. Al terminar, colar el agua sobrante y reservar. Quitar las conchas a los mejillones y reservar.

Cortar la cebolla y el pimiento en trozos pequeños de similar tamaño. Usar un cofre de silicona o una bolsa de asar e introducirlos en el microondas durante 6 minutos a potencia máxima.

Poner en una sartén antiadherente ½ cucharadita de aceite y dorar el ajo. Cuando esté dorado, incorporar las verduras del microondas. Rehogar removiendo constantemente durante 1 minuto. Añadir un chorrito de caldo de la cocción de los mejillones y dejar que se evapore.

Añadir a las verduras el tomate. Cocer unos 7 minutos hasta que se evapore el agua. Ya fuera del fuego, añadir unas gotas de edulcorante y tabasco al gusto. Triturar la salsa en una batidora eléctrica. Añadir más caldo de cocer los mejillones si resulta muy espesa.

Comprobar el punto de picante y de sal. No es necesario añadir más que la que sueltan los propios mejillones en su caldo. Si sois adictos a la cocina japonesa, se puede añadir un mínimo toque de wasabi. Calentar la salsa, introducir en ella los mejillones, dejar que se calienten y servir acompañados de queso fresco.

De esta receta, ya puestos a hacerla, preparo como mínimo dos raciones. No solo porque no se nota que es de dieta (con un chorrito de aceite y acompañada de patatas fritas o arroz blanco se la coláis al mismísimo Iker Casillas por la escuadra), sino porque ya que lleva un tiempo limpiar y cocer los mejillones, merece la pena aprovecharlo, esa es la verdad.

Por cierto, se puede abreviar bastante el proceso comprando, (preferiblemente por este orden): mejillones ya cocidos en su jugo, mejillones en conserva al natural, o incluso mejillones cocidos congelados. Los frescos son tan ricos y tan baratos que da un poco de pena no utilizarlos, pero como la vida y las prisas son las que mandan, pues eso, que cada uno haga lo que buenamente pueda o mejor le convenga.

Y un toque final, y opcional, de wasabi si sois «japonesadictos» le da su puntito.

# CALAMARES EN SU TINTA CON ESPEJISMO DE ARROZ

Ingredientes para 2 raciones

- 800 g de calamares enteros congelados
- 1 cebolla mediana
- 1 lata de tomate al natural troceado
- 150 ml de caldo de pollo bajo en grasa
- 2 bolsitas de tinta de calamar congelada
- 100 g de coliflor
- 1 diente de ajo
- 1 hoja de laurel
- sal, aceite de oliva virgen y pimientas variadas molidas

Cortar la cebolla en láminas finas. Usar un cofre de silicona o una bolsa de asar e introducirla en el microondas durante 4 minutos a potencia máxima. Retirar y reservar.

Limpiar los calamares. Cortar los cuerpos en anillas. Lavar y reservar.

En una sartén antiadherente poner ½ cucharada de aceite. Freír en él el diente de ajo picado muy fino y en cuanto coja el color dorado añadir la cebolla reservada. Rehogar ligeramente y añadir el tomate de lata con todo su jugo y la hoja de laurel. Salpimentar.

Cocer unos 10 minutos a fuego medio para que se reduzca el jugo del tomate. Añadir los calamares reservados al sofrito removiendo constantemente hasta que cambien de color. Salpimentar ligeramente de nuevo. Añadir la tinta y el caldo de pollo. Guisar 15 minutos a fuego lento y semitapado para que no se evapore demasiado líquido.

Meter la coliflor muy fresca en una batidora eléctrica. Picar hasta que se consigan unos trozos del tamaño y apariencia de granos de arroz. Salpimentar. Asar en microondas 2 minutos a potencia máxima utilizando un cofre de silicona o bolsa de asar. Servir en el plato junto a los calamares en su tinta para obtener este auténtico espejismo de arroz.

Esto que os voy a decir creo que no lo he dicho de ninguna otra receta, pero de verdad, de verdad, que estos calamares en su tinta estaban más ricos que los que cocino normalmente con generoso aceite de oliva, con vino y con su sofrito calórico tradicional.

Y no es solo que lo diga yo, que como madre de estos cefalópodos quizá ya no soy tan objetiva, sino que lo dijo mi detector particular de platos de dieta disfrazados, que ni por un momento sospechó que un guiso tan rico (en su caso acompañado de arroz de verdad) pudiese ser de dieta. De ninguna dieta para adelgazar.

No sé si fue la calidad de los calamares, comprados, por cierto, donde siempre, o la conjunción de Urano con Saturno, posibilidad esta que no debemos descartar; pero lo que sí os digo es que esta receta no tiene nada que envidiar a la de calamares en su tinta tradicional.

# PASTEL DE ATÚN Y PIMIENTOS

Ingredientes para 1 ración

- 6 pimientos del piquillo en conserva
- 160 g de atún en conserva al natural (2 latas pequeñas)
- 1 huevo más 1 clara
- 3 cucharadas de queso batido con un 0 % de materia grasa
- 3 cucharadas de leche en polvo desnatada
- 125 ml de leche desnatada
- aceite de oliva
- cebollino

Escurrir muy bien los pimientos para retirarles todo el aceite. Secarlos con papel de cocina.

Triturar en una batidora los pimientos con queso batido, la leche en polvo, la leche líquida y la yema de huevo.

Añadir a la mezcla anterior el atún, desmigado previamente con un cuchillo o un tenedor. Mezclarlo a mano sin usar ya la batidora.

Batir las claras a punto de nieve firme e incorporar con movimientos suaves y envolventes a la mezcla anterior.

Untar con aceite un molde, de silicona preferiblemente, y hornear a 180 °C durante 30 minutos. Dejar entibiar y desmoldar. Decorar con cebollino, perejil, mostaza, etcétera.

Otra receta ideal para aprovechar restos de mil cosas.

Como la base del pudding o pastel la obtenemos de la mezcla de queso batido con la leche en polvo y los huevos, esa especie de cemento armado alimentario es capaz de amalgamar y cuajar lo que sea... o casi.

Los restos de pescado al horno o a la plancha, siempre difíciles de reciclar, resucitan dentro de este pastel. Y añadiéndole unas gambitas, le subimos rápidamente el caché a este plato.

Yo lo acompañé con mostaza inglesa suave, aunque con mayonesa al placebo es quizá como más rico está.

# MERLUZA EN SALSA DE MARISCO CON TOMATE ASADO

Ingredientes para 1 ración

- 300 g de lomos de merluza
- 4 langostinos enteros
- 3 cucharadas del sofrito de tomate imprescindible
- 1 tomate maduro
- 60 ml de caldo de pollo bajo en grasa
- aceite de oliva
- pimienta molida
- sal

Retirar la piel de la merluza, pelar los langostinos y reservar las cabezas y los caparazones.

En una sartén antiadherente untada con aceite, rehogar las cabezas y los caparazones hasta que queden bien rojas. Añadir el sofrito. Sofreír 3 minutos más y añadir el caldo. Dejar que se reduzca.

En una batidora eléctrica triturar la salsa resultante con cabezas de langostinos y todo. Colar con ayuda de un colador chino, o con un simple colador presionando con una cuchara. Tiene que resultar una salsa espesa y deliciosa.

Abrir los lomos de merluza para que queden dos trozos y formar una especie de sándwich. Salpimentarlos. Colocar en medio de cada trozo de pescado 1 cucharada de salsa y dos langostinos. Tapar con el otro trozo de pescado. Colocar en una fuente de horno untada de aceite y cubrir cada trozo de pescado con salsa (tiene que sobrar un poco).

Cortar un tomate por la mitad en sentido horizontal. Meterlo en el microondas a potencia máxima durante 2 minutos. Salpimentarlo y colocarlo en la misma fuente de horno en la que hemos dispuesto el pescado. Hornear a 180 °C unos 10 minutos. Disponer en el fondo de un plato el resto de la salsa y sobre ella la merluza y el tomate recién asados.

Este, no lo voy a negar, es un plato un poquito más de fiesta que la mayoría de los que he ido cocinando y comiendo mientras elaboraba este recetario para adelgazar con humor y sin hambre. La verdad es que no sé cuál de estas dos premisas es más importante en una dieta.

Esta es una adaptación, y bastante fiel por cierto, de una de esas recetas de casa y de toda la vida para recibir invitados. Utilizadla con ese propósito si estáis a dieta. Los demás no lo notarán, y os ahorraréis el esfuerzo de voluntad y la lucha titánica de caer en otras tentaciones.

También preparo este plato cuando me quiero dar un gusto, cuando necesito consuelo tras algunos días de dieta con prisas y poco lucida, o, simplemente, como dice un conocido anuncio, ¡porque yo lo valgo!

# PSEUDO CEBICHE
# «MY WAY»

Ingredientes para 1 ración

- 250 g de lomos o rodajas de merluza congelados
- 4 gambas congeladas
- 6 mejillones frescos cocidos (o mejillones congelados, o al natural en conserva)
- 12 tomates cherry (o 1 tomate maduro)
- ¼ de pimiento rojo
- ¼ de pimiento verde italiano
- ½ cebolleta
- cilantro fresco
- lima
- sal y pimienta molida

Descongelar la merluza y las gambas. Salpimentar. Introducir ambos productos en un cofre de silicona o una bolsa de asar y cocinar en microondas 2 minutos a potencia máxima. Intentar que la merluza y las gambas queden en su justo punto, incluso algo crudas, porque después se van a marinar. Reservar.

Cortar los tomates por la mitad. Picar los pimientos en cuadraditos y cortar la cebolleta en láminas finas.

Cortar la merluza en trozos. En un bol, mezclar la merluza, las gambas y los mejillones cocidos con los vegetales previamente picados.

Rociar con ½ zumo de lima. Rectificar el punto de pimienta y sal. Remover bien y dejar reposar a temperatura ambiente un mínimo de ½ hora.

Servir en una fuente o en un plato. Decorar con el cilantro picado, y listo para comer.

El verdadero cebiche, o ceviche, que ni acuerdo académico existe sobre si se escribe con b de «burro» o con v de más «vurro» todavía, es un delicioso plato de origen peruano que se cocina en crudo y se cuece o se marina con la acidez que le aporta la lima.

Para evitar susceptibilidades de algunos a los que no os guste el pescado crudo cortado en trozos tan grandes, o pensando en los que en enero y febrero os gusta comer medio calentito, he adaptado esta receta al gusto más español (sin añadirle ni ajo, ni arroz, ni alubias, ni chorizo, ¡claro está!) y por eso lo he titulado «cebiche a mi manera», o lo que es lo mismo, pero en inglés, «my way».

Sobre la ortografía y vistas varias interminables teorías al respecto, me he quedado con la b de burro... Espero que no haya sido porque también la he visto como más «de casa».

# TAGLIATELLE CON LANGOSTINOS Y TOMATE AL PLACEBO TOTAL

Ingredientes para 1 ración

- 250 g de tallarimis (Pescanova)
- 5 langostinos crudos
- 12 tomates cherry

- 1 diente de ajo
- aceite de oliva
- salsa de soja, perejil y pimienta

Freír el diente de ajo picado muy fino en 1 cucharada de aceite de oliva, cuidando de que no se queme. Retirar y escurrir sobre papel de cocina absorbente. Reservar.

En la misma sartén, sofreír los tomates cortados por la mitad unos 2 minutos. A media cocción, incorporar el ajo reservado. No añadir sal, pues los tallarimis ya llevan suficiente y, además, la receta lleva salsa de soja.

Añadir a los tomatitos los langostinos pelados. Dejar que se cocine todo junto, removiendo bien para evitar que se pegue.

Incorporar los tallarimis cuando los langostinos estén casi hechos. Dejarlos sobre el fuego justo el tiempo necesario para que se calienten. Espolvorear con perejil picado.

En el último momento y aún en la sartén, añadir un chorrito de salsa de soja. Remover todo bien. Una vez en el plato, salpimentar ¡y listo!

Pocas cosas hay tan deliciosas y apetecibles en la vida como un buen plato de pasta y cuando uno está a dieta, ya ¡ni se diga! No sé si exagero un poco, tal vez sí, pero hay días que yo mataría por comerme unos espaguetis carbonara, boloñesa o con frutti di mare.

Así que si eres de los míos y también tú sientes instintos asesinos, este plato es un tranquilizador consuelo ¡Y además adelgaza!

Esta es una receta de proteínas con vegetales, pero si sustituís los tomates por unos trocitos de tomates secos y más perejil para dar algo del imprescindible color verde que siempre debe tener la vida, se convertirá en otra consoladora versión de pasta al placebo para días de proteínas puras.

# REVUELTO DE ESPÁRRAGOS Y GULAS

Ingredientes para 1 ración

- 2 huevos y 2 claras
- 6 espárragos verdes
- 125 g de gulas
- 2 cucharadas de queso de untar con un 0 % de materia grasa
- aceite de oliva
- cebolla en polvo
- sal

Pelar y lavar los espárragos. Salar ligeramente. Introducirlos en el microondas dentro de un cofre de silicona o en una bolsa de asar. Cocinar 5 minutos a potencia máxima. Cortarlos en trozos. Reservar.

En una sartén untada de aceite, rehogar las gulas brevemente. Añadir los espárragos troceados excepto las yemas. Rehogar ligeramente.

Añadir de inmediato los huevos y las claras previamente batidos junto con el queso de untar. Espolvorear con la cebolla. No añadir sal.

Cuajar a fuego muy lento. Remover constantemente hasta que el huevo esté hecho pero aún jugoso.

Colocar el revuelto en un plato y decorar con las yemas de los espárragos que teníamos reservadas.

Como ya dije, o ya diré por aquí, los revueltos son uno de los comodines más utilizados en esta dieta proteica por ricos y, la verdad, también por cómodos y rápidos de cocinar.

En el caso de esta receta, podemos acelerarla aún más si utilizamos espárragos trigueros, o blancos, en conserva. Tal y como la hice yo aquí, os aseguro que está sorprendentemente sabrosa.

Ni que decir tiene que esta receta es sanísima y endosable, compartible y disfrutable por cualquier comensal, tanto por los que seguimos la dieta como por cualquiera que se siente en nuestra mesa.

# TORTILLA DE PATATAS VIRTUAL

Ingredientes para 1 ración

- 2 huevos y 2 claras
- 200 g de coliflor
- 1 cebolla
- aceite de oliva
- cebolla en polvo
- sal

Lavar y cortar las flores de la coliflor en trozos, como si se cortasen patatas para tortilla. Introducirlos en el microondas dentro de un cofre de silicona o en una bolsa de asar. Salar ligeramente. Cocinar 8 minutos a potencia máxima.

Pelar y cortar la cebolla en láminas finas. Añadirla a la coliflor e introducir ambas verduras juntas en el microondas 5 minutos más.

Batir los huevos con las claras en un cuenco amplio. Introducir en el huevo batido las verduras. Mezclar bien. Salar ligeramente y espolvorear con cebolla en polvo.

Cuajar la mezcla en una sartén untada con aceite a fuego medio. Darle la vuelta y cuajar por el otro lado, tal y como haríamos con una tortilla de patatas tradicional.

Servir en un plato bonito y soñar que estamos comiendo una tortilla española… ¡que no engorda!

Estuve dudando si bautizar esta receta como tortilla de patatas virtual, o como tortilla de patatas al placebo y, la verdad, sin estar aún muy segura de cuál de los títulos hubiera resultado más sugerente y gráfico, lo verdaderamente importante es lo deliciosa y consoladora que resulta esta receta.

A los que no sois «colifloradictos», os diré que cocinada en el cofre o la bolsa de asar para microondas no produce el más mínimo olor. Además, con el sabor que le aporta la cebolla de verdad, la cebolla en polvo y el huevo cuajado, también se disfraza bastante el característico gusto de esta verdura.

Os recomiendo probar esta tortilla virtual, o al placebo, cualquier día en que os toque comer proteínas más vegetales y además necesitéis un especial ánimo y consuelo. No os defraudará.

# PASTEL DE ESPÁRRAGOS Y GAMBAS

Ingredientes para 1 ración

- 1 lata de yemas de espárragos
- 5 gambas congeladas grandecitas
- 2 huevos más 2 claras (o 1 huevo y 3 claras)
- 1 cucharada generosa de queso de untar con un 0 % de materia grasa
- 100 ml de leche desnatada
- 2 cucharadas de leche en polvo desnatada
- 3 cucharadas de salsa mayonesa al placebo
- aceite de oliva
- pimientas variadas molidas
- cebollino
- sal

Triturar en una batidora: las yemas de espárragos (reservando una para decorar), los huevos y las claras, el queso de untar, la leche en polvo y la leche líquida. Salpimentar ligeramente.

Untar con aceite un recipiente apto para microondas y verter en él la mezcla.

Cortar en 4 trozos todas las gambas (y reservar una para decorar), e incorporar a la mezcla anterior.

Cocinar en el microondas durante 7-8 minutos a potencia máxima. Dejar templar el pastel y desmoldarlo con ayuda de un cuchillo o de una lengua de repostería.

Colocar en el plato en el que se va a servir. Cubrir con la mayonesa al placebo. Decorar con la yema de espárrago y la gamba pasada por la plancha y espolvorear con cebollino picado.

Esta es otra receta de fondo de armario personal-casero-familiar y, como ya no tengo abuelas, os diré que he conseguido adaptar exitosamente al recetario de la dieta proteica. Pero al recetario de la dieta proteica sabrosona y divertida, ¡eh!

Este es un plato casi obligado en nuestras fiestas multitudinarias familiares, sobre todo cuando una quiere quedar como una reina... sin morir en el intento. Sirve para lucirse con los invitados y sirve también, si queremos libramos de la tentación de picar y caer allí donde no nos llaman. Amén.

# ESPINACAS A LA CREMA CON HUEVO Y CECINA

Ingredientes para 1 ración

- 200 g de espinacas congeladas
- 100 g de queso de untar con un 0 % de materia grasa
- 2 cucharadas de leche en polvo desnatada
- 30 ml de leche desnatada
- 100 g de cecina en lonchas
- 1 huevo
- aceite de oliva
- nuez moscada
- sal

Meter las espinacas congeladas en el microondas durante 5 minutos a temperatura máxima. Comprobar que se han descongelado correctamente. Escurrir presionado bien para eliminar todo el líquido posible. Reservar.

Rehogar las espinacas en una sartén untada con aceite. Añadir el queso y dejar que se deshaga poco a poco. Remover a fuego lento para que se integre con las espinacas. Añadir la leche en polvo y la líquida. Salar y sazonar con un poco de nuez moscada.

Cocinar la mezcla durante 3-4 minutos hasta conseguir un espesor parecido al de unas espinacas con bechamel tradicionales. Retirar y reservar.

Cocer el huevo pasado por agua o, lo que es lo mismo, en su punto, hirviéndolo durante 5 minutos. Entibiar y pelar.

Disponer las espinacas a la crema en un plato. Calentar en el microondas. Colocar el huevo encima y rodear con las lonchas de cecina.

Estas espinacas a la crema, o espinacas con espejismo de bechamel, son otra de las recetas de éxito que, quizá por su semejanza con las calóricas espinacas a la crema tradicionales, resultan también muy reconfortantes y consoladoras.

Si se desea abaratar un poco el coste de este plato, se puede sustituir perfectamente la cecina por unas lonchas finitas de jamón de york bajo en grasa o de fiambre de pechuga de pavo. En ambos casos sigue estando riquísimo y además es incluso más fácil de comer y cortar.

# ZARANGOLLO MURCIANO CON PAVO

Ingredientes para 1 ración

- 1 calabacín de unos 250 g
- 1 cebolla pequeña
- 1 huevo más 2 claras
- aceite de oliva

- 150 g de fiambre de pechuga de pavo
- sal

Lavar y cortar el calabacín en rodajas muy finas. Pelar y cortar la cebolla en láminas. Reservar.

Untar una sartén antiadherente con aceite. Rehogar a fuego fuerte el calabacín y la cebolla sin dejar de remover. Salar.

Bajar el fuego. Tapar la sartén para que se produzca vapor. Dejar así las verduras cocinándose tapadas durante unos 10 minutos. Remover de vez en cuando para evitar que se peguen.

Cuando estén al dente el calabacín y la cebolla, añadir el huevo y las claras. Remover bien y cuajar lentamente con el fuego ya apagado.

Colocar el zarangollo caliente en el centro de un plato y el fiambre de pechuga de pavo alrededor.

El delicioso zarangollo murciano, como podréis imaginar, en su versión original se compone de cebolla y calabacín fritos, y bien fritos, en aceite de oliva.

Si se pone una a pensar en los millones de calorías cariñosas (de esas con tendencia a quedarse a vivir amorosa y eternamente en nuestras caderas) que lleva la receta tradicional, os aseguro que encontraréis aún más sabroso este plato. De verdad que está buenísimo a pesar de no llevar ni gota de grasa.

# QUICHE A LA ITALIANA

Ingredientes para 1 ración

- 10 tomates cherry maduros
- 100 g de jamón york bajo en grasa
- 2 huevos más 2 claras (o 1 huevo y 3 claras)
- 1 cucharada generosa de queso de untar con un 0 % de materia grasa
- 2 cucharadas de leche en polvo desnatada
- 100 ml de leche desnatada
- 3 cucharadas de salsa mayonesa al placebo
- rúcula
- aceite de oliva
- lima
- albahaca fresca
- sal

Mezclar en una batidora los huevos y las claras con el queso de untar, la leche en polvo desnatada y la líquida. Salar ligeramente.

Forrar con papel de cocina para horno un molde redondo y bajo. Verter en él la mezcla anterior.

Cortar los tomatitos por la mitad y el jamón york en tiras. Incorporarlos también. Añadir la albahaca picada.

Cocinar en microondas durante 7-8 minutos a potencia máxima. Dejar que se entibie un poco.

Servirla con o sin papel de hornear. Colocarla en el centro de un plato rodeada de rúcula aderezada con un poco de zumo de lima y sal.

Otra receta de fondo de armario personal-casero-familiar, que también he podido adaptar a la dieta proteica con resultados más que satisfactorios.

En vez de la obligatoria base de masa quebrada, con este papelito nada calórico (el papel, de momento, está fuera de cualquier dieta, incluida esta), se consigue desmoldar perfectamente la quiche, y que hasta queda graciosa presentada así en el plato.

# REVUELTO DE GRELOS
# Y LANGOSTINOS

Ingredientes para 1 ración

- 1 lata de grelos al natural
- 6 langostinos crudos
- 2 cucharadas de queso de untar con un 0 % de materia grasa
- 2 huevos y 2 claras
- aceite de oliva
- ajo, sal y pimienta

Freír un diente de ajo picado muy fino en 1 cucharada de aceite de oliva, cuidando de que no se queme. Retirar y escurrir sobre papel de cocina absorbente. Reservar.

En la misma sartén, sofreír los grelos en conserva muy bien escurridos. Dejar unos minutos hasta que se evapore el líquido que aún conservan.

En cuanto estén secos, añadir los langostinos crudos pelados y el ajo frito previamente escurrido.

Cuando los langostinos estén medio hechos, añadir los huevos ligeramente batidos, las claras y el queso de untar.

Remover bien mientras se cuajan los huevos. Salpimentar y servir.

Los revueltos son también uno de los comodines más utilizados en esta dieta proteica por ricos, fáciles y rápidos.

Los grelos al natural en conserva se encuentran ya fácilmente en todas las grandes superficies, pero si no los encontráis o si simplemente no os gustan, podéis sustituirlos con toda facilidad por una lata de acelgas o de espinacas cocidas al natural.

# FALSAS PATATAS «ALIÑÁS»

Ingredientes para 1 ración

- 250 g queso de Burgos con un 0 % de materia grasa
- 2 huevos cocidos
- 150 g de bonito o atún en conserva al natural
- 1 tomate maduro mediano
- ¼ de cebolla morada
- ¼ de pimiento verde y ¼ de pimiento rojo
- zumo de lima
- vinagre de Módena o mayonesa al placebo
- sal

Cortar el queso en discos de poco menos de un centímetro de grosor. Disponerlos en un plato.

Cortar el tomate en rodajas y colocar una encima de cada disco de queso.

Cocer y pelar los huevos. Cortarlos y colocarlos encima del tomate o donde os apetezca.

Colocar el bonito en los huecos y cubrir el plato con rodajas de cebolla y pimientos.

Sazonar estas falsas patatas «aliñás» con una mezcla de vinagre de Módena, zumo de lima y sal. Otra opción es acompañarlas con mayonesa al placebo.

Esta ensalada, con una estética que en algo recuerda a la de las andaluzas patatas aliñás, es un recurso estupendo para días con poco tiempo y aún menos ganas de cocinar.

Todos sus ingredientes salen de ese fondo de armario del cocinero ejemplar en dieta proteica, así que, para días de apuros, no hay más que tirar a ese fondo de despensa y cenar esta ensaladita que, además de estar muy rica, también entra por los ojos...
Y ya se sabe que en la cocina, y más cuando se está a dieta, un poquito de estética se agradece incluso más...

# «PIZZA» DOÑA MARGARITA

Ingredientes para 1 ración

- 4 o 5 claras de huevo
- 3 cucharadas de sofrito de tomate imprescindible
- 100 g de fiambre de pavo o jamón york bajo en grasa
- 100 g de queso de untar con un 0 % de materia grasa
- 2 huevos cocidos
- 1 loncha de queso fundido light
- orégano seco
- aceite de oliva
- tomates cherry maduros
- albahaca fresca y sal

Cuajar las claras en una sartén antiadherente untada con aceite. Formar una especie de crepe gruesa que será la base de nuestra pizza. Sazonar con sal y orégano mientras se cuaja. Darle la vuelta con un plato, como si fuese una tortilla de patatas. Reservar.

Colocar la base de claras en un plato y untarla con el sofrito de tomate triturado previamente para convertirlo en salsa de tomate.

Encima, colocar los ingredientes de la forma más vistosa y estética posible.

Las lonchas de fiambre enroscadas. Sobre ellas 1 cucharadita de queso de untar espolvoreado con orégano. La loncha de queso fundido, bien repartida por toda la «pizza», los tomates cortados por la mitad y los huevos cortados en cuartos.

En el momento de servir, añadir la albahaca y calentar un minuto en el microondas.

Comer pizza cualquier día, en cualquier dieta, no puede ser más consolador.

Pensé en bautizar esta pizza básica con el nombre de la más básica de todas en la vida real: la famosa pizza Margarita. Visto que esta estaba algo más ilustrada y que sabe a auténtica gloria cuando uno está a dieta, la ascendí de categoría e importancia y pasó a ser pizza Doña Margarita.

Por supuesto, esta es otra receta de esas en las que, echándole un poco de imaginación, se pueden conseguir mil variaciones y pizzas distintas. No hay más que ponerse a ello...

# ESPEJISMO DE TAGLIATELLE A LA ITALIANA

Ingredientes para 1 ración

- 250 g de tallarimis (Pescanova)
- 100 g de sofrito de tomate imprescindible
- 100 g de queso de Burgos con un 0 % de materia grasa
- albahaca fresca
- pimientas variadas molidas

Calentar, o elaborar para la ocasión, el sofrito de tomate. Retirar 100 g de este sofrito y ponerlo al fuego en una sartén antiadherente.

Cuando esté caliente, incorporar al sofrito de tomate los 250 g de tallarimis. Cocinar durante 2 minutos removiendo bien para que no se pegue y para que se mezclen los sabores.

En el último instante, añadir el queso de Burgos para que se entibie un poco.

Colocar los tallarimis con el sofrito de tomate y el queso en el plato en el que se vayan a comer.

Adornar con abundante albahaca fresca picada y espolvorear con las pimientas.

Ya lo he dicho en alguna ocasión, pero como los boquerones, ¡me repito!: pocas cosas hay tan deliciosas y apetecibles en la vida como un buen plato de pasta y cuando uno está a dieta, ya, ¡ni se diga! No sé si exagero un poco, que igual sí, pero yo, hay días que mataría por comerme cualquier tipo de plato parecido a este.

Así que si vosotros también os identificáis con esta imperiosa necesidad y sentís a veces estos instintos asesinos, este plato de pasta es un espejismo, y así lo he bautizado, que además de producir un tranquilizador y reparador consuelo... ¡encima, adelgaza!

La albahaca fresca en esta receta es casi, casi, imprescindible. Es lo que la italianiza y le aporta frescura. En caso de no disponer de ella, una buena dosis de orégano fresco o seco sería lo más adecuado.

# BERENJENAS A LA ITALIANA

Ingredientes para 1 ración

- 2 berenjenas pequeñas (hay que cortarlas en 12 rodajas)
- 1 huevo cocido
- 4 cucharadas de requesón con un 0 % de materia grasa
- 8 cucharadas de sofrito de tomate imprescindible
- aceite de oliva
- ajo
- sal y orégano

Pelar las berenjenas y cortarlas en rodajas de ½ centímetro de grosor. Sumergirlas en agua con sal durante unos 30 minutos para que pierdan su amargor natural. Pasado ese tiempo, secarlas bien con papel de cocina.

Untar con aceite la rejilla del horno y colocar sobre ella las rodajas de berenjena. Espolvorear con ajo en polvo y hornear a unos 180 °C durante 10 minutos. Darles la vuelta y dejarlas unos 6 minutos más, hasta que estén tiernas pero que no se rompan. Retirar del horno y reservar.

Sobre cada disco de berengena, y en este orden, ir colocando: un poco de sofrito, 1 rodaja de huevo duro, 1 rodaja de berenjena, sofrito, 1 cucharada de requesón, berenjena y, para terminar, añadir sofrito.

Espolvorear generosamente con orégano, si es fresco mejor. Se puede comer a temperatura ambiente o, si se prefiere, dar un toque de grill en el último momento.

Este plato es una de las recetas de fondo de armario en mi cocina diaria familiar. Me gusta tanto y gusta tanto a todos en casa que he intentado adaptarla a la dieta proteica, si se me permite decirlo (que creo sí), con bastante éxito.

En mi otra vida, la que a veces tengo fuera de esta dieta, ya no frío las berenjenas, sino que las hago como en esta receta. La diferencia de sabor es inapreciable y la cantidad de calorías que me ahorro, ¡vaya si se aprecian!

Si queréis incluir más proteínas en este delicioso plato, basta con añadir unas lonchas gruesas de jamón york o pavo bajo en grasa en alguna de las capas.

El orégano fresco puede sustituirse por seco, aunque el puntito, que conste, se lo da el primero. Ni que decir tiene, que hay días que le añado albahaca, tomillo...

# SALSAS

Acompañamientos que se agradecen

Si algo se te «hace bola»
no sufras más y di, ¡basta!
Si algo resulta intragable,
¡añádele mucha salsa!

# SOFRITO DE TOMATE IMPRESCINDIBLE

Ingredientes para unas cuantas porciones

- 4 latas de tomate entero pelado de unos 400 g cada una
- 2 cebollas
- 1 diente de ajo
- 2 cucharadas de aceite de oliva
- sal y sacarina

Picar las cebollas en cuadraditos y rehogarlas en el aceite de oliva. Para evitar que se peguen hay que removerlas mucho y taparlas de vez en cuando para producir vapor. Salar.

Transcurridos 10 minutos, añadir removiendo bien el diente de ajo picado muy fino. Dejar unos 5 minutos más.

Incorporar entonces el tomate en conserva entero picado y la mitad de su agua. Salar ligeramente.

Dejar cocer destapado a fuego mediobajo unos 40 minutos para que se evapore el líquido. Si fuera necesario añadir más jugo del tomate.

Cuando se alcance el espesor de un sofrito, agregar dos pastillas de sacarina. Dejar que se disuelvan y comprobar la acidez y la sal.

Este es el mejor sofrito o salsa de tomate que he podido conseguir para esta dieta. Unas cucharadas de esta salsa transforman un plato y hacen que una receta pase de comestible a estupenda.

Como lleva el mismo tiempo e igual precio yo hago como mínimo 4 latas a la vez. La congelo y siempre, tengo uno en el frigorífico listo para usar.

Puede realizarse con tomates frescos, pero habría que escaldarlos y pelarlos previamente. Así que os doy la solución más práctica y que yo utilizo.

Según para la que lo vayáis a usar, se le puede añadir al calentarlo albahaca fresca, orégano seco, alcaparras picaditas, etcétera. Y para obtener una deliciosa salsa de tomate, simplemente hay que pasarlo por un colador chino o un pasapurés. No recomiendo la batidora eléctrica pues ni el color ni la textura quedan iguales.

# MAYONESA AL PLACEBO

Ingredientes para varios usos

- 1 yema de huevo cocida
- 1 clara
- 100 g de queso fresco batido con un 0 % de materia grasa
- vinagre de jerez
- zumo de limón o lima
- mostaza o salsa perrins y sal

Desmenuzar la yema con un tenedor y añadirle el vinagre y el limón o la lima al gusto.

Batir bien hasta que se deshagan los grumos que queden en la yema.

Añadir el queso fresco batido junto con la mostaza o la salsa perrins.

Remover bien hasta que quede una salsa homogénea.

Batir la clara a punto de nieve e incorporarla con movimientos suaves y envolventes a la mezcla anterior.

Esta es otra de las salsas básicas que para mi gusto, es necesario tener siempre en el frigorífico si se hace una dieta proteica, más que nada porque ayuda a alegrar y a aligerar platos que sin ella serían mucho más tristones y menos apetecibles.

Además, como esta es una salsa proteica puede tomarse en cantidad libre tanto los días de proteínas y vegetales como los de proteínas puras.

Dura más de una semana en el frigorífico si la conservamos bien envasada.

# SALSA AMERICANA

Ingredientes para unas cuantas porciones

- 1 yema de huevo cocida
- 1 clara de huevo a punto de nieve
- 1 cucharadita de sofrito de tomate imprescindible
- 1 cucharadita de queso fresco de untar con un 0 % de materia grasa
- 1 cucharada de leche en polvo desnatada
- tabasco y sal

Con un tenedor, deshacer la yema de huevo junto al sofrito.

Añadir el queso fresco de untar y la leche en polvo. Mezclar bien.

Montar la clara e incorporarla con movimientos suaves y envolventes a la mezcla anterior. Probar y sazonar con sal y tabasco al gusto.

Conservar en el frigorífico.

Esta también es una de las salsas que puede tomarse en cantidad libre tanto los días de proteínas vegetales como los de proteínas puras.

La cantidad de sofrito de tomate que incluye es meramente ilustrativa y puede considerarse un simple condimento.

Combina a la perfección con langostinos cocidos, gambas o con el apreciable bonito en conserva al natural.

Una vez más, las cantidades son al gusto y los condimentos pueden adaptarse según las existencias del frigorífico y a la capacidad creativa de cada uno.

# SALSA HINDÚ (CON INDULGENCIA)

Ingredientes para unas cuantas porciones

- 1 yogur azucarado con un 0 % de materia grasa
- mostaza
- unas gotas de jugo de carne
- 1 cucharadita de curry en polvo

También es complicadísima la elaboración de esta salsa, como bien podréis comprobar a continuación.

Mezclar el yogur con el tipo de mostaza y la cantidad que prefiera cada uno.

Añadir el jugo de carne y la cucharadita de curry.

Mezclar bien y conservar en el frigorífico.

Esta salsa es ideal para hacer más jugosos y añadir un toque exótico a todos esos alimentos especialmente secos o insípidos. Combina de maravilla con pollo, gambas o pescados congelados que al elaborarlos resulten un poco secos.

Igual que en otras recetas, las cantidades son al gusto y se pueden, y se deben, añadir o quitar condimentos en función de las existencias en el frigorífico o de la imaginación de cada uno.

Además esta salsa proteica también puede tomarse con libertad tanto en los días de proteínas vegetales como en los de proteínas puras.

# SALSA ORIENTAL Y TAL

Ingredientes para unas cuantas porciones

- 100 g de queso fresco batido con un 0 % de materia grasa
- 4 gotas de sacarina líquida
- ¼ de cucharita de pasta wasabi
- salsa de soja

Otra receta de salsa muy socorrida y tan complicada como la anterior:

Mezclar el queso fresco batido con el wasabi hasta que esta quede bien disuelta en el queso.

Añadir la sacarina y salsa de soja al gusto.

Mezclar bien y conservar en el frigorífico.

Al igual que la hindú, esta es ideal para que queden jugosos y añadir un toque exótico a ciertos alimentos que suelen resultar secos o les falta sabor. Es ideal para acompañar el pollo, las gambas o pescados congelados que, una vez cocinados, necesitan completarse con algo más.

Cada cual puede decidir la cantidad, así como los condimentos, que pueden variarse según el gusto y la imaginación.

Al ser una salsa proteica, puede tomarse en cantidad libre tanto en los días de proteínas y vegetales como en los de proteínas puras.

# SALSA PROVENZAL

Ingredientes para unas cuantas porciones:

- 1 yema de huevo cocida
- 100 g de queso fresco batido con un 0 % de materia grasa
- 4 gotas de sacarina líquida
- sal al gusto
- hierbas frescas (albahaca, perejil, orégano, tomillo) o las de vuestro agrado

Deshacer la yema con un tenedor y añadirle el queso fresco batido.

Batir bien hasta que se deshagan los grumos formados por la yema.

Añadir las gotas de sacarina, la sal y la mezcla de hierbas frescas picadas muy finas. Remover hasta que se mezclen todos los ingredientes.

Mezclar bien y conservar en el frigorífico.

Esta es otra de las salsas imprescindibles que, para mi gusto, no pueden faltar en el frigorífico cuando se hace una dieta proteica.

Es una salsa sorprendente y deliciosa que resulta mucho más fresca y agradable de lo que pueda parecer a priori. Es también de las que ayudan a alegrar y a aligerar platos que, sin ella, quedarían mucho menos sabrosos.

También puede tomarse en la cantidad que se quiera, tanto en los días de proteínas vegetales como en los de proteínas puras.

Bien envasada y conservada en el frigorífico, puede guardarse más de una semana.

# POSTRES PROTEICOS

## Mousse, tartas y mucho más...

A nadie le amarga un dulce
y menos estando a dieta.
¡No te preocupes y adelgaza!
comiendo tortitas con nata.

# MOUSSE DE CAFÉ

Ingredientes para 1 ración

- 100 g de queso fresco batido con un 0 % de materia grasa
- 1 clara de huevo
- 1 cucharada de leche en polvo desnatada
- 1 cucharadita de sacarina líquida
- ½ cucharada de café soluble en polvo
- 1 pizca de sal y de cacao bajo en grasa y sin azúcar para decorar

Batir la clara a punto de nieve con la sal. Reservar.

En un recipiente amplio, mezclar el queso fresco batido, con la leche, la sacarina y el café soluble.

Añadir a la mezcla anterior la clara batida que estaba reservada. Hacerlo despacio y con movimientos envolventes para que no se baje.

Colocar la mousse de café en un recipiente adecuado y guardar un par de horas.

En el momento de servir, decorarla con un poquito del cacao en polvo.

Este postre es compatible y, lo que es lo mismo, se puede consumir tanto en días de dieta de proteínas puras como en los de proteínas y vegetales.

Por alguna razón, a veces a mí el cuerpo me pide algo dulce; bueno, a decir verdad, me lo pide siempre, pero quizá aún más los días de proteínas puras.

Este es un postre fácil y de elaboración casi automática del que podéis abusar, y abusaréis a gusto. Se puede cambiar el sabor totalmente sustituyendo el café soluble por cacao desgrasado sin azúcar, aroma de vainilla o por cualquier otro aroma.

# MOUSSE DE CANELA EXPRÉS

Ingredientes para 1 ración

- 150 g de queso fresco batido con un 0 % de materia grasa
- 1cucharada de queso de untar con un 0 % de materia grasa
- 1 cucharada de leche en polvo desnatada
- 1 cucharada de edulcorante líquido
- canela en polvo
- aroma de vainilla

En un recipiente amplio, mezclar el queso fresco batido, con el de untar, la leche, el edulcorante y unas gotas de aroma de vainilla. Batir con un batidor manual para que quede todo bien integrado.

Colocar la mousse de canela en un recipiente adecuado para su presentación y refrigerar un par de horas.

En el momento de servir, decorarlo con un poquito de canela en polvo y un palito de canela en rama.

Este es un postre ideal, o bien para días de prisas (es francamente difícil encontrar un postre más rápido que este), o bien para días en que el plato principal ha sido un poco más complicado y, lógicamente, hay que compensar dificultades con facilidades.

Se puede consumir tanto en días de dieta de proteínas puras como en días de proteínas y vegetales. Recurriréis a él principalmente porque es un comodín muy práctico en esos días en que el menú se nos queda un poco corto y hay que rellenar con lo que sea (y si es dulce mucho mejor) ese agujerillo que algunos días más que otros sentimos en el estómago.

En este postre la canela también puede sustituirse por cacao en polvo desgrasado, café soluble, o extractos de sabores variados...

# TARTA DE QUESO FRÍA

Ingredientes para 2 raciones

- 1 yogur natural con un 0 % de materia grasa
- 100 g de queso de untar con un 0 % de matera grasa
- 100 ml de agua
- 3 hojas de gelatina neutra
- 2 cucharadas de edulcorante líquido

Para la cobertura

- 80 ml de agua
- 1 bolsita de té a la vainilla o de infusión de frutos rojos
- 2 hojas de gelatina neutra
- 2 cucharadas de edulcorante líquido

Cortar las hojas de gelatina en trozos con una tijera. Sumergirlas en el agua. Dejar que se humedezcan durante 5 minutos e introducir en el microondas un minuto a potencia media. Aumentar si es necesario el tiempo hasta disolver completamente la gelatina en el agua.

En un recipiente amplio, mezclar el yogur con el queso de untar, la gelatina disuelta y el edulcorante. Batir con un batidor manual para que quede todo bien integrado.

Verter la mezcla de queso en dos moldes bajos de unos 13 cm de diámetro. Enfriar un par de horas en el frigorífico.

Mientras, hacer infusión con la bolsita de té de vainilla. Debe quedar lo más cargada posible. Cortar en trozos las hojas de gelatina con una tijera. Bañarlas en la infusión. Dejar que se humedezcan durante 5 minutos e introducir en el microondas un minuto a potencia media. Aumentar el tiempo si es necesario, hasta que se disuelva completamente la gelatina en el té de vainilla. Añadir el edulcorante y dejar atemperar.

Cuando la tarta de queso esté cuajada, añadir la infusión a temperatura ambiente. Dejar cuajar al menos ½ hora en el frigorífico.

En mi opinión, este es un postre asombrosamente delicioso, que no tiene mayor complicación que la de la espera para conseguir el cuajado necesario de la tarta y de la cobertura.

Si no estáis habituados a manejar gelatina, esta receta es fácil y resultona, como para estrenarse con ella.

# TARTA DE REQUESÓN AL HORNO

Ingredientes para 1 ración

- 125 g de requesón con un 0 % de materia grasa
- 1 huevo más 1 clara
- 100 ml de leche desnatada
- 2 cucharadas de leche en polvo desnatada
- 1 cucharada de edulcorante líquido

En un recipiente amplio, mezclar el requesón con el huevo y la clara, los dos tipos de leche y el edulcorante líquido. Batir con una batidora manual para que quede todo bien integrado.

Forrar un molde o recipiente apto para microondas con papel de horno.

Verter la mezcla en el molde e introducir en el microondas a temperatura máxima durante 4 minutos. Retirar y reservar.

Dejar enfriar a temperatura ambiente durante 1 hora.

Si se desea, espolvorear con cacao desgrasado o canela.

Este postre sirve tanto para tomar después de comer, a modo de dulce remate final de una comida que lo necesite, como para picar entre horas o tomarlo de merienda.

Yo he hecho esta receta con requesón, pero si os resulta difícil de encontrar, o si no os gusta la acidez que aporta a la tarta, podéis sustituirlo por queso de untar, por supuesto, también con el 0 % de materia grasa de siempre.

Y si tenéis tiempo suficiente, haced esta tarta en el horno convencional. Demorará unos 10-12 minutos pero resultará más fina.

# SÁNDWICH DE CHOCOLATE Y NATA

Ingredientes para 1 ración

Bizcocho de chocolate:

- 1 huevo
- 1 cucharada de queso batido con un 0 % de materia grasa
- 2 cucharadas de salvado de avena
- 1 cucharadita de cacao desgrasado sin azúcar
- edulcorante para cocinar
- 1 cucharadita de levadura en polvo

Crema de relleno:

- ½ yogur natural con un 0 % de materia grasa
- 50 g de queso de untar con un 0 % de matera grasa
- 50 ml de agua
- 2 hojas de gelatina neutra
- 2 cucharadas de edulcorante líquido

En un recipiente, mezclar bien todos los ingredientes del bizcocho de chocolate. Verter la mezcla en un molde apto para microondas de forma cuadrada o rectangular.

Cocer durante 3 minutos a potencia máxima. Comprobar el punto de cocción por si hubiera que añadir algo más de tiempo. Dejar entibiar el bizcocho antes de desmoldarlo y abrirlo en dos partes en sentido longitudinal.

Cortar las 2 hojas de gelatina en trozos con una tijera. Introducirlos en los 50 ml de agua. Dejar que se humedezcan durante 5 minutos e introducirlas así, con el agua, en el microondas durante un minuto a potencia media. Si es necesario, aumentar el tiempo hasta disolver por completo la gelatina en el agua.

En un recipiente amplio, mezclar el yogur con el queso de untar, el agua con la gelatina disuelta y el edulcorante. Batir con varillas manuales para que quede todo bien integrado.

Enfriar una ½ hora en el frigorífico, remover la mezcla y rellenar con ella el sándwich de chocolate.

Sorprendentemente consolador es este postre, por lo dulce y porque deja satisfecho, se mire del revés o del derecho. Tonterías aparte, si os resultase mucha cantidad para tomarlo de postre, mejor. A media tarde, cuando los deseos de picoteo atacan más que los mosquitos en pantanos tropicales, es un gran alivio saber que tenemos en la nevera medio sándwich ¡nada menos que de chocolate y nata!

# FLAN DE VAINILLA

Ingredientes para 1 ración

- 80 ml de leche desnatada
- 1 huevo más 1 clara
- 2 cucharadas de leche en polvo desnatada
- 1 cucharada de edulcorante líquido
- extracto de vainilla

En un recipiente poner primero la leche en polvo. Añadir poco a poco la leche líquida. Batir bien para evitar que queden grumos.

Añadir a la mezcla anterior el huevo y la clara. Seguir batiendo. Añadir el edulcorante y la vainilla al gusto.

Rellenar uno o dos moldes de silicona con la mezcla obtenida. Introducir en el horno durante 10 minutos a 170 °C.

Retirar y dejar enfriar. Desmoldar y disponer los flanes en el plato donde vayan a servirse.

Si se desea, espolvorear con cacao desgrasado o canela.

Este flan de vainilla, un clásico donde los haya, es otro de esos postres que, además de estar versionado para la dieta proteica, tiene la ventaja de ser postre exprés.

Si queréis convertir este flan en instantáneo, no hay más que cuajarlo en el microondas. Para este tamaño de molde, 2 minutos a potencia máxima debería ser suficiente.

Puede sustituirse la vainilla o, sin sustituirla, podemos añadirle a este flan 1 cucharadita de cacao en polvo desgrasado y conseguiremos un flan de chocolate estupendo.

# TORTITAS CON NATA

Ingredientes para 1 ración

Para las tortitas
- 2 cucharadas de salvado de avena
- 2 claras de huevo
- ½ yogur natural con un 0 % de materia grasa
- ½ cucharada de queso fresco batido con un 0 % de materia grasa
- abundante sacarina y canela

Para la nata con chocolate
- 3 cucharadas de queso fresco batido con un 0 % de materia grasa
- 1 cucharada de leche en polvo desnatada
- 1 cucharadita de cacao en polvo sin azúcar
- sacarina

En un recipiente amplio, batir a mano las claras hasta que estén muy espumosas sin llegar a punto de nieve.

Añadir a las claras, el yogur y el queso fresco y batir. Añadir la avena y mezclar bien todo con el mismo batidor.

Agregar sacarina y canela al gusto.

Untar con aceite una sartén. Cuando esté caliente, formar las tortitas. Esperar hasta que cada una se seque bien por debajo y aparezcan pequeñas burbujitas en la parte superior. Separar con una espátula, darles la vuelta y dejar que se hagan por el otro lado.

Mezclar el queso fresco batido con la leche en polvo, el cacao y la sacarina. Acompañar las tortitas con esta mezcla.

Estas tortitas son uno de mis recursos irrenunciables, y la mejor y más deliciosa manera de ingerir la cantidad diaria de avena obligatoria en esta dieta, y presentadas de esta forma, os aseguro que consuelan muchísimo más.

En el desayuno, o en la merienda os parecerá que estáis tomando tortitas con nata y chocolate de la mejor cafetería de vuestra ciudad. O casi.

# HELADO MERENGADO

Ingredientes para 1 ración

- 150 g de queso de untar con un 0 % de matera grasa
- 50 ml de leche desnatada
- 1 hoja de gelatina neutra
- 2 cucharadas de leche en polvo desnatada
- 2 cucharadas de edulcorante líquido
- aroma de vainilla y canela en polvo

Cortar la hoja de gelatina en trozos con una tijera. Introducirlos en leche. Dejar que se humedezca la gelatina durante 5 minutos.

Introducir después en el microondas un minuto a potencia media. Si es necesario, aumentar el tiempo hasta disolver completamente la gelatina.

Mezclar en una batidora eléctrica el queso, la leche con la gelatina disuelta en ella, la leche en polvo y el edulcorante. Añadir la canela y la vainilla al gusto. Remover.

Verter la mezcla en un recipiente de plástico con tapa y congelar. Si es posible, pasada ½ hora sacar el envase del congelador y batir bien para que le entre aire y no se cristalice demasiado. Repetir este proceso de batido 3 veces.

Para consumir este helado merengado, sacar del frigorífico con 20 minutos de antelación. Dejar a temperatura ambiente. Formar 3 bolas de helado y ¡a disfrutarlo!

Este helado merengado, además de su delicioso sabor dulce, tiene una indiscutible y maravillosa ventaja con relación a otros postres. Y es que se puede congelar. Yo, que creo que, en esta vida, todo, o casi todo, es susceptible de ser congelado, tanto si es un alimento, un sentimiento... O qué sé yo... Pues claro, en este caso, soy fan incondicional de la congelación.

Os aconsejo hacer este helado en cantidad mayor y guardarlo bien tapado en el congelador. Podréis acudir a él en cualquier momento en que os encontréis de pronto en estado de emergencia.

# BIZCOCHITO DE CHOCOLATE INSTANTÁNEO

Ingredientes para 1 ración

- 2 claras de huevo
- 3 cucharadas de queso batido con un 0 % de materia grasa
- 2 cucharadas de salvado de avena
- 1 cucharadita de cacao desgrasado sin azúcar
- edulcorante para cocinar
- 1 sobre de gasificante o 1 cucharada de levadura en polvo

En un recipiente mezclar bien todos los ingredientes del bizcocho de chocolate instantáneo.

Verter la mezcla en un vaso apto para microondas, lo bastante alto para evitar que la masa rebose y se derrame.

Cocer en el microondas 2 minutos a potencia máxima. Comprobar el punto de cocción por si hubiera que añadir algo más de tiempo.

Retirar el bizcocho del molde con ayuda de una lengua de repostería. Como el fondo siempre quedará un poco más crudo cocer 20 o 30 segundos boca abajo ya fuera del molde.

Dejar entibiar y, en 2 minutos, listo para comer.

No hay nada mejor que explicarle a una amiga de esas que están delgadas a base de mil horas de gimnasio y de comer agua, que tú estás haciendo una dieta como dios manda, que te permite merendar un bizcochito de chocolate rico y saciante como este... y además ¡te pesas y adelgazas! ¡Vaya chollo!

Este bizcochito es ideal para comerlo a media tarde cuando tengáis un ataque de hambre y necesitéis dulce. O para llevar a la oficina y sobrevivir al ataque de hambre de media mañana.

Siempre que me lo como pienso: ¡A nadie le amarga un dulce!

# CHEESECAKE DE FRESA

Ingredientes para 1 ración

- 1 yogur de fresa con un 0 % de materia grasa
- 125 g de queso de untar con un 0 % de materia grasa
- 50 ml de leche desnatada
- 2 hojas de gelatina neutra
- 2 cucharadas de leche en polvo desnatada
- 2 cucharadas de edulcorante líquido
- 1 tortita de avena para la base (opcional)

Cortar las hojas de gelatina en trozos con una tijera. Introducirlos en leche. Dejar que se humedezcan durante 5 minutos.

Introducir después en el microondas 1 minuto a potencia media. Si es necesario, aumentar el tiempo hasta que la gelatina se disuelva completamente en la leche.

Con una batidora, mezclar el yogur con el queso de untar, la leche con la gelatina disuelta, la leche en polvo y el edulcorante.

Poner un aro o un cuadrado de pastelería sobre un papel de horno. Colocar dentro una tortita de avena a modo de base de la tarta. Verter la mezcla de queso y yogur por encima. Dejar enfriar un par de horas en el frigorífico.

Colocar la tarta sobre el plato en que se va a servir. Retirar el papel de horno tirando suavemente y desmoldar con ayuda de un cuchillo. Decorar con media cucharadita de mermelada de fresa sin azúcar.

En mi opinión, este postre es una auténtica sorpresa: su sabor es delicioso y no tiene más dificultad que la de la espera para conseguir el cuajado necesario de la tarta.

Estas cantidades os darán como resultado una dosis generosa de cheesecake de fresa. No llega a dos raciones pero, para uno solo, es una porción hermosa, así que si os parece excesiva, guardaros el resto para merendar. Está estupenda a media tarde.

# MAGDALENAS LLENAS

Ingredientes para 4 raciones

- 2 huevos
- 8 cucharadas de salvado de avena
- 2 yogures naturales con un 0 %
  de materia grasa
- 250 ml de leche desnatada
- 1 sobre de gasificante para
  repostería o 1 cucharada de
  levadura en polvo
- 3 cucharadas de edulcorante
  para cocinar
- anís
- ralladura de naranja

Separar las yemas de las claras y batir estas a punto de nieve firme. Reservar.

En un recipiente amplio, mezclar las yemas con los yogures. Añadir el edulcorante, el anís y la ralladura de naranja al gusto.

Incorporar el salvado de avena a la mezcla anterior y batir todo bien. Añadir la leche y el sobre de gasificante o levadura en polvo.

Sobre la mezcla anterior verter las claras a punto de nieve e incorporarlas despacio con movimientos suaves y envolventes.

Llenar 8 moldes de silicona con esta masa. Hornear a 180 °C durante unos 20 minutos aproximadamente. Dejar entibiar y retirar de los moldes. Conservar en el frigorífico.

Estas magdalenas llenas, como las he bautizado yo, son precisamente eso, magdalenas que llenan.

Ideales para llevar al trabajo, porque son cómodas de transportar o para merendar a esa hora en que uno se comería hasta los grifos del baño.

El único secreto de estas magdalenas es que tienen que llevar saborizantes que disfracen la falta de mantequilla, harina, azúcar... El anís y la cáscara de naranja son una combinación estupenda, si no os gusta alguno de ellos, sustituidlo por vainilla, canela... ¡Pero sustituidlo por algo que aporte sabor!

# PASTAS DE TÉ

Ingredientes para 8 pastas

- 1 huevo
- 50 g de queso de untar con un 0 % de materia grasa
- 3 cucharadas de maicena (alimento tolerado sin abusar)
- 1 cucharadita de levadura en polvo
- 3 cucharadas de edulcorante para cocinar

Cobertura de chocolate:

- 1 cucharada de queso batido con un 0 % de materia grasa
- 4 cucharadas de leche en polvo desnatada
- 1 cucharadita cacao en polvo sin azúcar
- 1 cucharada de edulcorante en polvo al gusto

Batir bien todos los ingredientes: el huevo, el queso de untar, la maicena, la levadura y el edulcorante.

Verter la mezcla en 8 moldes para magdalenas, de silicona o de papel. Tiene que quedar cubierto un fondo de 1 centímetro más o menos.

Hornear a 170 °C durante unos 15 minutos. Pasado ese tiempo, retirar, dejar enfriar y desmoldar.

Preparar la cobertura de chocolate mezclando todos los ingredientes: el queso batido, la leche en polvo, el cacao y el edulcorante.

Cargar una pistola o manga pastelera pequeña con la cobertura de chocolate. Decorar las galletas al gusto.

Estas pastas de té son también un entretenimiento práctico y consolador para comer entre horas o para llevarnos fuera de casa.

Como llevan maicena en su composición, y este es un alimento tolerado, pero no habitual, en la dieta proteica, no pueden tomarse en los días de la fase inicial, ni tampoco se debe abusar de ellas.

Aun así, como no debe suceder que un dulce amargue, y como es, además, la única receta dulce que tiene limitaciones de días y cantidades, pues eso, disfrutadlas de vez en cuando. Pero disfrutadlas bien.

# RECETAS DE BLOGUEROS AMIGOS

## Ciberproteicos en la Red

Empezamos siendo amigos
aunque solo virtuales...
Comemos el mundo juntos
nos hizo amigos reales.

# PECHUGA RELLENA AL LIMÓN (PV)

Ingredientes para 1 ración

- 1 pechuga de pollo entera
- 5 espárragos trigueros finos
- 5 setas pequeñas o dos champiñones portobello
- 1 cucharada rasa de maicena

- ½ vaso de leche desnatada
- aceite de oliva
- pimienta negra y 1 limón
- sal

En una sartén untada con aceite, echar las setas y los espárragos lavados y troceados. Saltear hasta que estén tiernos. Salpimentar al gusto.

Diluir la maicena en la leche y añadir a la sartén de las verduras. Espesar la salsa y reservar.

Abrir la pechuga en forma de libro lo más delgada posible. Salpimentar por ambos lados. Colocar en el medio la mezcla y enrollarla hasta formar un cilindro. Cerrar con unos palillos.

Cortar el limón en rodajas. Calentar una plancha o sartén y colocarlas a un lado. Pintar de aceite la pechuga. Colocarla al otro lado. Cocinarla durante unos 10 minutos a fuego medio, dándole la vuelta para que se dore toda.

Retirar los palillos. Presentarla cortada en dos trozos.

*La cocina de mi Abuelo*

http://cocinademiabuelo.blogspot.com.es

 La cocina de mi Abuelo

 @RocioCocinaAbue

Yo creo que Rocío sabe más de recetas proteicas que muchos seguidores de este régimen alimenticio. Desde su blog publicó deliciosas recetas mientras hacía la dieta.

Quizá a Rocío le ocurra lo mismo que a mí, que su estupendo blog, creado en homenaje a su querido Yayo, también le hace engordar. O por lo menos, igual que a mí, le hace engordar a ratos.

Rocío ya había hecho la dieta proteica cuando yo la empecé. Ya había adelgazado los excesos que la vida de bloguera le había obsequiado y la verdad es que me dio ánimos y consejos muy válidos cuando a mí también me llegó la hora de darme cuenta de que no era cierto que el blog engordara... ¡La que engordaba era yo!

Por todos aquellos ánimos y consejos creo que hoy Rocío se merece un sitito en este libro lleno de recetas proteicas ricas, pero de las ricas de adelgazar.

# PEZ ESPADA A LA SICILIANA (PV)

Ingredientes para 2 raciones

- 1 rodaja de emperador o pez espada de unos 400 g
- 1 berenjena de tamaño mediano
- 2 tomates maduros
- 1 rama de apio
- 1 cebolleta morada o blanca
- 1 ramita de albahaca fresca
- aceite de oliva
- sal, edulcorante, pimienta y agua

Lavar todas las verduras. Trocear la cebolleta, el apio y la berenjena en dados. Escaldar los tomates en agua hirviendo durante 2 minutos para que resulte más fácil pelarlos. Trocearlos finamente.

Pochar la cebolleta y el apio en una sartén con aceite. Dejar durante 2-3 minutos. Añadir la berenjena para que se mezcle con los ingredientes y pochar todo otros 2 minutos. Agregar el tomate troceado y remover. Sofreírlo 2-3 minutos. Salpimentar al gusto y agregar 1 cucharadita de edulcorante, para eliminar la acidez del tomate.

Verter sobre las verduras ½ vaso de agua. Cuando rompa a hervir, bajar el fuego. Dejarlas durante 15 minutos o hasta que se reduzca todo el líquido. Picar finamente la albahaca fresca y espolvorearla sobre las verduras un par de minutos antes de retirarlas del fuego.

Cortar la rodaja de emperador por la mitad y cocinarla en una sartén o plancha antiadherente 1 minuto por cada lado. Es importante que este pescado no se seque. Salpimentar y servir esta deliciosa guarnición de verduras.

http://travienlacocina.blogspot.com.es/

 Travi en la Cocina

@travienlacocina

A Marta, la conozco, creo, desde que nació. Desde que nació virtualmente, quiero decir, que antes de tropezarnos andando por la red, y a pesar de vivir bien cerquita, no sabíamos de nuestras aficiones y existencias mutuas.

Como habla mucho de la oferta gastronómica de Vigo debió de «aparecérseme» un día, cuando buscaba en Google información sobre algún restaurante de por aquí. Comencé a seguirla y un buen día, después de unas cuantas conversaciones decidimos desvirtualizarnos.

Como hubo tanta química en aquel momento de sus inicios en la red, la ayudé y aconsejé todo lo bien que supe. Siendo como es (la verdad que no es nada difícil), mucho más alta, delgada y joven que yo, la bauticé como Supernena.

# SALMÓN CREMOSO
# CON ALMEJAS Y GAMBAS (PP)

Ingredientes para 1 ración

- 200 g de salmón en una rodaja
- 100 g de almejas
- 50 g de gambas peladas
- 50 g de gulas
- 75 g de queso de untar con un 0 % de materia grasa
- 50 ml de caldo de pescado bajo en grasa
- 1 diente de ajo
- aceite
- sal, perejil y laurel

Poner las almejas en remojo en agua fría con un puñado de sal gorda para que suelten la arenilla que puedan tener. Escurrirlas y ponerlas en una cazuela con un par de hojas de laurel durante 4 minutos a fuego fuerte para que se abran y suelten todo su jugo. Colar y reservar ese líquido.

Mientras, colocar el salmón ligeramente salpimentado en un cofre de silicona o bolsa para microondas. Cocinar a potencia máxima entre 2-4 minutos, dependiendo de cada micro. Comprobar que está en su punto y reservar tapado para que no se enfríe.

Poner el ajo picado muy fino en una sartén untada de aceite. En cuanto esté dorado, añadir las gulas y las gambas. Saltear a fuego fuerte durante 1 minuto. Añadir el queso de untar, el agua de las almejas y el caldo de pescado. Remover para que el queso se mezcle con los líquidos.

Añadir las almejas reservadas. Remover todo y espolvorear con perejil. Servir el salmón y cubrirlo con la cremosa mezcla de gulas, gambas y almejas.

 **Ni mata ni engorda**

www.nimataniengorda.com

 Ni mata ni engorda

 @Nimataniengorda

Rubén, desde su blog es el último regalo que esta vida de «perdida» entre fogones ajenos y lejanos me ha traído hasta la puerta.

Puede que la constancia sea una de las virtudes que a Rubén le adornan y a mí me faltan, que no digo yo que no, pero también está en este libro por ser buena gente. Gente de esa, de la buena, a la que, le pidas lo que le pidas, siempre dice sí.

Es admirable y sorprendente la calidad y habilidad que tiene que tener para haber conseguido, en un tiempo récord, que su blog sea tan conocido como es actualmente. Vamos, que es toda una promesa de la gastronomía virtual... Y si no, ¡al tiempo!

# TIMBAL DE POLLO
# A LA «CURRYMOSTAZA» (PV)

Ingredientes para 2 raciones

- 400 g de pechuga en filetes o de solomillos de pollo
- 1 cebolla
- 2 tomates medianos
- salsa hindú
- salsa perrins
- salsa de soja
- pimentón de la Vera dulce
- pimienta negra molida
- nuez moscada
- comino molido
- curry en polvo
- aceite de oliva, sal fina y sal en escamas

Macerar el pollo en: 2 cucharadas de salsa perrins, 3 de soja, ½ cucharita de pimentón, pimienta y una pizca de comino; mezclar, tapar y marinar mínimo 1 hora. Mejor toda la noche.

En una sartén con aceite dorar el pollo 1 minuto y medio por cada lado. Cortar la cebolla en pequeños dados. Espolvorearla con el curry, una pizca de nuez moscada y sal. Introducirla en un cofre de silicona o una bolsa de asar. Cocinar en microondas a potencia máxima 5 minutos.

Mientras, cortar los tomates en medias rodajas y pasarlos por la sartén unos 2 minutos por cada lado, no hace falta aceite si la sartén o plancha es antiadherente. Reservar.

Para montar el plato usar un molde o aro de emplatar y poner en este orden: una capa de salsa hindú, el tomate, el pollo, la cebolla y más pollo. Coronar con salsa hindú, curry y escamas de sal.

 Recetas de Rechupete

@derechupete

Esta es la receta que Alfonso aporta a la causa. Causa que en este caso me enorgullece decir que no es otra que la mía.

¡Y qué voy a decir yo de Alfonso!... Pues no se me ocurre nada mejor que decir de él lo mismo que decía mi abuela Romana en los años ochenta de Miguel Bosé: ¡Que es mi debilidad senil!

Alfonso es de verdad. Es igual de natural, de simpático y de generoso que lo que se adivina al leerlo o al verlo en sus vídeos.

Igual aún ni sabe lo que le agradezco que un fenómeno mediático como él, con casi cien mil seguidores en Twitter, saque tiempo y ganas para hacer una receta y dedicarme una presentación como la que de mí ha hecho en este libro después de leer que es mi debilidad senil... ¡Espero que sí!

# ÍNDICE DE RECETAS

# MIS BLOGS Y REDES

El orden no es precisamente una de mis virtudes y, por difícil que parezca, puede que hayas llegado al final de este libro y no te haya contado aún quién soy.

Me llamo Carmen Albo, soy licenciada en derecho, consultora de marketing, y autora del blog *Guisándome la vida*. Un blog de recetas con historieta desde donde espero que se perciba que a lo que de verdad soy muy aficionada es a disfrutar de la vida en general y de la cocina en particular.

Me gusta comer, beber, probar, inventar, conocer, experimentar, hablar y contar. Y además, en la misma medida en que le gusta a mi héroe, Buzz Lightyear: «hasta el infinito y más allá».

Como tengo mucho cuento, pues cuento muchas cosas, algunas en otro medio que me encanta: la radio, pues soy colaboradora del programa de Radio Vigo Cadena Ser: *La guía gastronómica*.

Me encanta mi blog, *Guisándome la vida* y las redes sociales que lo sustentan: Facebook, Twitter, Instagram… Me maravilla este mundo virtual que acerca todo lo lejano y que paradójicamente también puede, al contrario, alejar lo más cercano. Me sigue sorprendiendo lo que alcanza y lo que enseña. Me costó, lo reconozco, acostumbrarme a Twitter, pero desde que me propuse tomármelo con calma y cariño, la verdad es que le estoy cogiendo yo el puntito al invento este del pajarito.

De mi blog, tengo que decir también que han surgido cosas estupendas, y así, entre otras cosas que recuerde, colaboraciones de radio, presentaciones de eventos gastronómicos, entrevistas, recetarios varios, colaboraciones con empresas de alimentación y, por supuesto, estos dos estupendos libros de recetas de dieta proteica: *Yo si conseguí adelgazar con mis recetas proteicas* y *Adelgaza sin hambre y con humor con mis recetas proteicas*. He de reconocer que, hasta el día de hoy, los posts más visitados de mi blog, con más de 26.000 visitas, son los que corresponden a los de recetas de dieta proteica…¡Por algo será!

Y ya no os diré mucho más. Antes de despedirme del todo, os dejo aquí unas miguitas de pan (por supuesto de avena), para que podáis seguirme y hasta perseguirme por ese infinito, inalcanzable y tan inmenso como inimaginable espacio ciberestelar.

Guisandomelavida.com

 https://www.facebook.com/guisandomelavida

@guisandomela

 @guisandomelavida

# AGRADECIMIENTOS

Como siempre he creído que más vale dar las gracias mil veces de más, que una sola vez de menos, y que de bien nacidos es ser agradecidos, voy a empezar, en este caso terminar, con mis más sentidos y cariñosos agradecimientos.

En primer lugar a mi abuela Romana, que me enseñó a cocinar, a comer, a mezclar, a probar, a experimentar, a inventar, a imaginar, a compartir, a festejar, a celebrar, a invitar y a disfrutar (¡tanto, tantísimo!) lo mucho que, si lo sabemos percibir, nos da la vida en general, y la cocina en particular.

Y también me enseñó que, de vez en cuando, y después de tanto disfrute, tocaba adelgazar.

En segundo lugar a mis cuatro blogueros de cabecera que me han acompañado y regalado una receta de dieta proteica para que aparezca en mi libro. Gracias a Rocío, de *La cocina de mi Abuelo*, a Marta, de *Travi en la cocina*, a Rubén, de *Ni mata ni engorda* y, por supuesto, a Alfonso, de *Recetas de rechupete*, no solo por su receta sino también por la presentación con la que me ha honrado y emocionado en este libro.

Y en tercer y último lugar, pero no por ello menos importante, a todos los que me seguís de una forma u otra en esta aventura gastronómica-emocional tan mía. Gracias por seguirme, por comentarme y por estar ahí.

Bueno, y ya puestos a expresar gratitud, gracias de corazón a todos los que me queréis. No necesito nombraros. Sabéis perfectamente quiénes sois.